知る、
わかる、
みえる

美術検定®
3級問題 基本編 basic

「美術検定」実行委員会・編

知るほど、みえてくる。

美術は、作品を「つくる力」だけで生み出されてきたわけではありません。
人々の「みる力」によって、育まれ伝えられてきました。
作品を知り、作家やその時代・社会を知れば、
作品からもっとたくさんのことがみえてきます。
美術検定は、あなたの「みる力」のステップアップを応援します。

2021年6月　監修者一同

「美術検定」のデザイン

「美術検定」は、美術の知識と知見を高め「みる力」を養うプログラムとして、4レベルを設けた検定試験です。
同検定は、2003年に「アートナビゲーター検定試験」として会場受験スタイルでスタートし、2007年より改称しました。

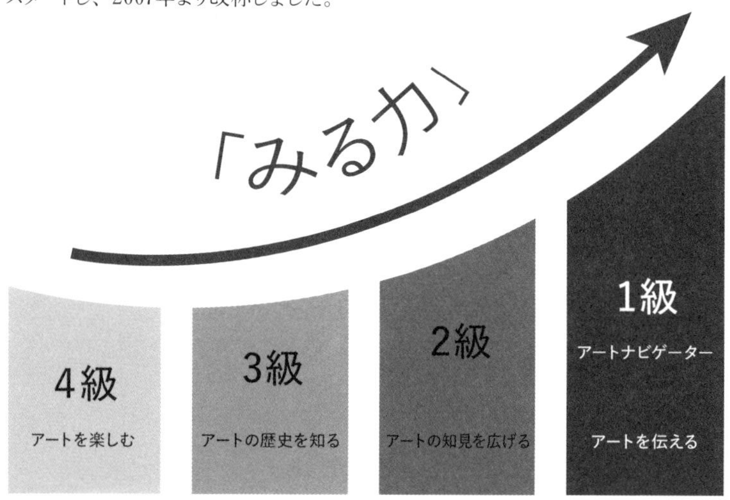

「美術検定」はオンライン試験へ

「美術検定」は、2020年より全級オンライン受験スタイルへと移行しました。
受験環境・試験の詳細などは、「美術検定公式サイト」を御覧ください。

https://bijutsukentei.com

「美術検定」を始めよう

I あなたはイメージ派？ テキスト派？

～「学習タイプ」で知る合格へのヒント～

Q.「モナ・リザ」と聞いて、
最初に思い浮かべたのは？

A.「モナ・リザ」の絵画イメージ

B. レオナルド・ダ・ヴィンチの名前

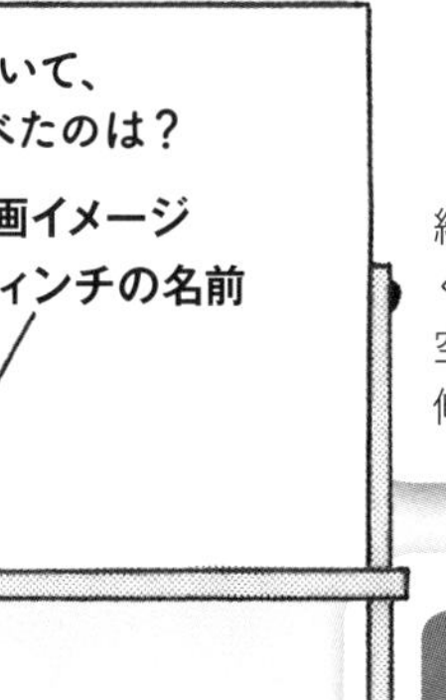

A 視覚優位タイプ

絵画や写真のように二次元イメージが頭に入りやすく、そこから思考することが得意なタイプです。また、空間や時間軸など三次元的にアイデアを発展させる傾向があります。

B 言語優位タイプ

文字や文章からイメージを浮かべ、思考することが得意なタイプです。また、文字や文章を整理しチャート化して考え、アイデアを発展させる傾向があります。

時間の制約がある中で、幅広い美術史を効率的に学ぶのはなかなか苦難の道です。
でも、自分の脳内処理システムの特性を知ることで、合格の早道が開けることもあります。
まずは自分の認知特性——「視覚」と「文章」のどちらから情報をとらえ、
考えたり理解したりすることが得意なのか——を知ることから始めてみましょう。

こう学習するのがオススメ！

作品をじっくり鑑賞＋分析

ビジュアル記憶や分析に優れたこのタイプの人は、まず、美術館や画集、Webサイトを活用して、作品をじっくり鑑賞することから始めるのがオススメ。ポイントは、「何が描かれているのか」「何が表現されているのか」「どのように表現されているか」「2つの作品の共通点や相違点は何か」と、いくつかの作品を選び、分析的に鑑賞することです。また、美術家や美術作品を題材にした映画も上手に活用を。時代背景や人間関係の把握にもぴったりです。

こう学習するのがオススメ！

美術関連の書籍で知識蓄積

文章から思考を発展させることに優れたこのタイプの人は、西洋・日本美術史の流れが網羅された「文章中心」の入門書を読み込むことから始めるのがオススメ。ポイントは、ノート（メモ）をとり、様式や時代の特徴、湧いた疑問を整理しながら読むことです。そこから、興味のある美術家、あるいは様式や時代を絞りましょう。そのうえで関連する書籍、美術用語集などを活用していくと、徐々に知識が増え、理解が深まります。

Ⅱ タイプ別美術史ラーニング方法

～楽しく学んで合格に近づこう！～

STEP 1

作品や映画をみるときは、分析的に！作家や表現の特徴や時代背景をビジュアルから取り出そう。

STEP 2

今までみてきた作品を組み合わせて、美術史の流れをイメージ。その流れを、手描きやノートアプリなどで描いてみよう。

STEP 1

『西洋・日本美術史の基本』で大きな美術の流れをつかもう。『続 西洋・日本美術史の基本』などで、レベルに合わせたジャンルや概念的な知識を補足。

STEP 2

書籍で得た知識を、ノートに整理しよう。各様式の代表作品のイメージも併せてチェック。美術史の大きな流れもまとめてみよう。

STEP 3

「美術検定」1級に合格した先輩たちによると、
「美術は楽しく勉強するのが合格への早道！」とのこと。
このページでは、合格者から聞いた美術史を楽しく学ぶコツを、
「視覚優位タイプ」「言語優位タイプ」に分けて紹介します。

『西洋・日本美術史の基本』や『続 西洋・日本美術史の基本』の内容と、鑑賞してきた作品を関連付けて理解を深めよう。次に「各級問題集」を解き、自分の理解度や苦手ジャンルを確認。解けなかった問題は、解説と関連書籍で知識を補足しよう。

合格者の体験談

座学だけでは文字が通り過ぎるだけなので、可能な限り美術館や展覧会を巡り、作品をみています。鑑賞後には必ずノートに鑑賞文を書くことで、情報整理をしていました。検定対策として、いつまでに何をするという計画を作り、実行。関連書籍はアンダーラインを引きながら読み、自分でノートにまとめました。また、美術館の講座や学芸員のギャラリートークは、作品と知識の接点を楽しく発見できる機会として活用しました。

（徳島県　山本さん）

STEP 4

「各級問題集」を解いて、自分の理解度や苦手ジャンルを確認。解けなかった問題は、解説と関連書籍を読んで、知識を補足しよう。

STEP 5

美術館や大型画集、Webサイトを活用した作品の鑑賞を！　今まで得た知識と作品を重ねた鑑賞を通して、より深い理解や新たな発見をしよう。

合格者の体験談

『カラー版西洋美術史』『カラー版日本美術史』をざっと読み、検定対策として『公式テキスト』で美術史の大きな流れをつかみました。巻頭の年表と目次は丸暗記。また、関連書籍から各様式を代表する作家と作品をピックアップして印刷し、余白に基本情報と美術史の観点から「なぜその作品や作家が重要か」などのポイントをメモして、部屋に年代ごとに貼付。撮影した画像をモバイル機器に保存して、暇があれば見返しました。

（東京都　山下さん）

※「美術検定」はオンライン試験への移行に伴い、作品画像はカラー表示になりました。
作品は、画集やWebサイトなどで、カラー画像を確認しておくのがおすすめです。

Ⅲ 3級レベルと出題範囲をチェック！

美術史ラーニングのコツをつかんだら、いよいよラーニング開始。
試験のレベルと出題範囲を把握しましょう。

出題レベルと出題形式

2020年実績（オンライン試験として実施）

［出題レベル］	西洋美術・日本美術の基礎知識に加え、芸術動向や形式など美術史に関わる概念を理解し、歴史的な流れを知る。
［出題形式］	全問選択式　制限時間60分 美術史問題85問＋知識・情報の活用問題5問
［合格の目安］	正答率約60％　※受験者全体の正答率により変動

出題範囲

出題ジャンル

西洋美術史	原始美術〜1970年代の美術、この時代に含まれる建築、美術に関連する工芸、デザイン。
日本美術史	先史・古墳時代〜1970年代の美術、この時代に含まれる建築、工芸、デザイン。
美術のキホン・つくる＋みる	色彩の基本、西洋絵画・日本画の基本的な画材、西洋・日本美術の基本的な技法、日本画の表装。
知識・情報の活用問題	上記、3ジャンルの出題範囲より、作品鑑賞力と培った知識や情報を取り出す・関連付けることで正答を導き出す問題として出題される。

範囲の目安となる書籍

『改訂版　西洋・日本美術史の基本』
『この絵、誰の絵？』
『美術検定3級問題集』（2021年発行）

※出題には、目安となる書籍以外に、『カラー版美術史シリーズ』『美術出版ライブラリー　歴史編　日本美術史』（美術出版社刊）を基本書籍として参照しています。

詳しい試験概要やお申込みは「美術検定公式サイト」を check!

https://bijutsukentei.com

Ⅳ 本書で学習ポイントをおさえる！

本書は1冊で「美術検定3級」の出題範囲をカバーしています。
その中で、1・2・3章では美術史の基本的な知識の積み上げを目的に、
[1問1答]形式を採用。各設問に対して、それぞれ役立つ解説も付けました。
本書を通じて、「美術検定」での出題パターンや傾向を同時に学ぶことができます。
問題を解くことにより、自分の苦手な時代や様式、ジャンルの確認にも活用しましょう。

・本書中の美術用語の一部は、統一表記を採用。
　例：着色・著色→著色　屛風・屏風→屏風
・海外美術館等が所蔵する海外作品のタイトルは、日本国内での一般的な表記を採用。
・掲載作品のデータは、すべて2019年2月現在。

V 美術史の流れを"ざくっと"マッピング！

ナカムラクニオ式に学ぶ

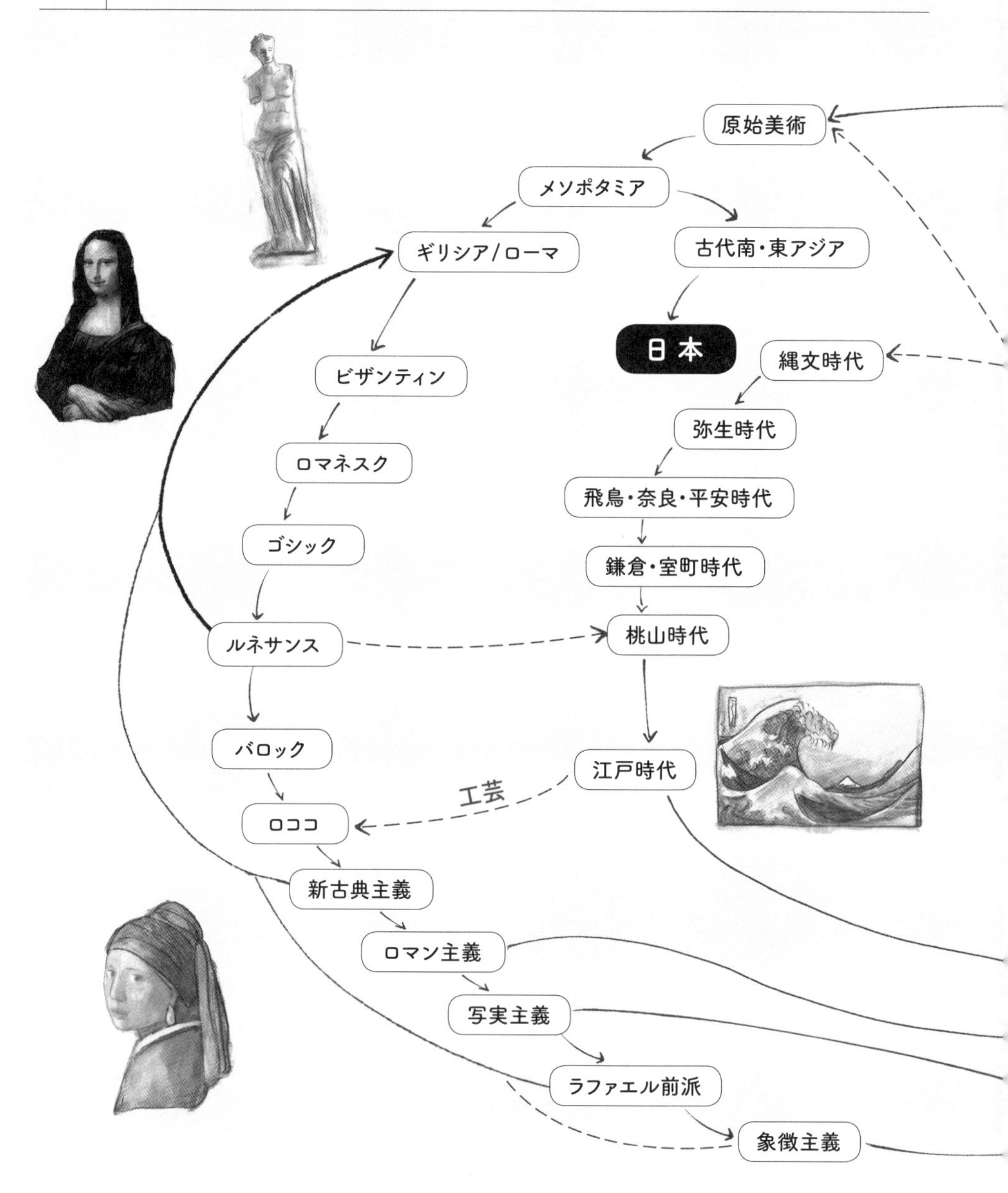

合格者の声

西洋美術史はルネサンス、日本は近代から、と興味のある時代から学び始めました。興味のない時代は、興味があった時代をコアに数珠つなぎにまとめていくと興味がわきました。　（東京都　山下さん）

美術史は、研究者たちによる研究と解釈で、新事実の発見や更新を重ねて創られてきたもの。その複雑な美術史を学ぶには、“大きな流れ”を自分なりに整理してみるのがオススメです。ここでは、独自の切り口で美術の面白さを伝えるナカムラクニオさんが、「循環する美術史」という視点で、西洋・日本美術史をチャート化！

チャート・イラスト＝ナカムラクニオ

profile＊TV番組ディレクター、金継ぎ作家など多くの顔を持つ。近著は『チャートで読み解く美術史入門』（2019年、玄光社）、『洋画家の美術史』（2021年、光文社）など。

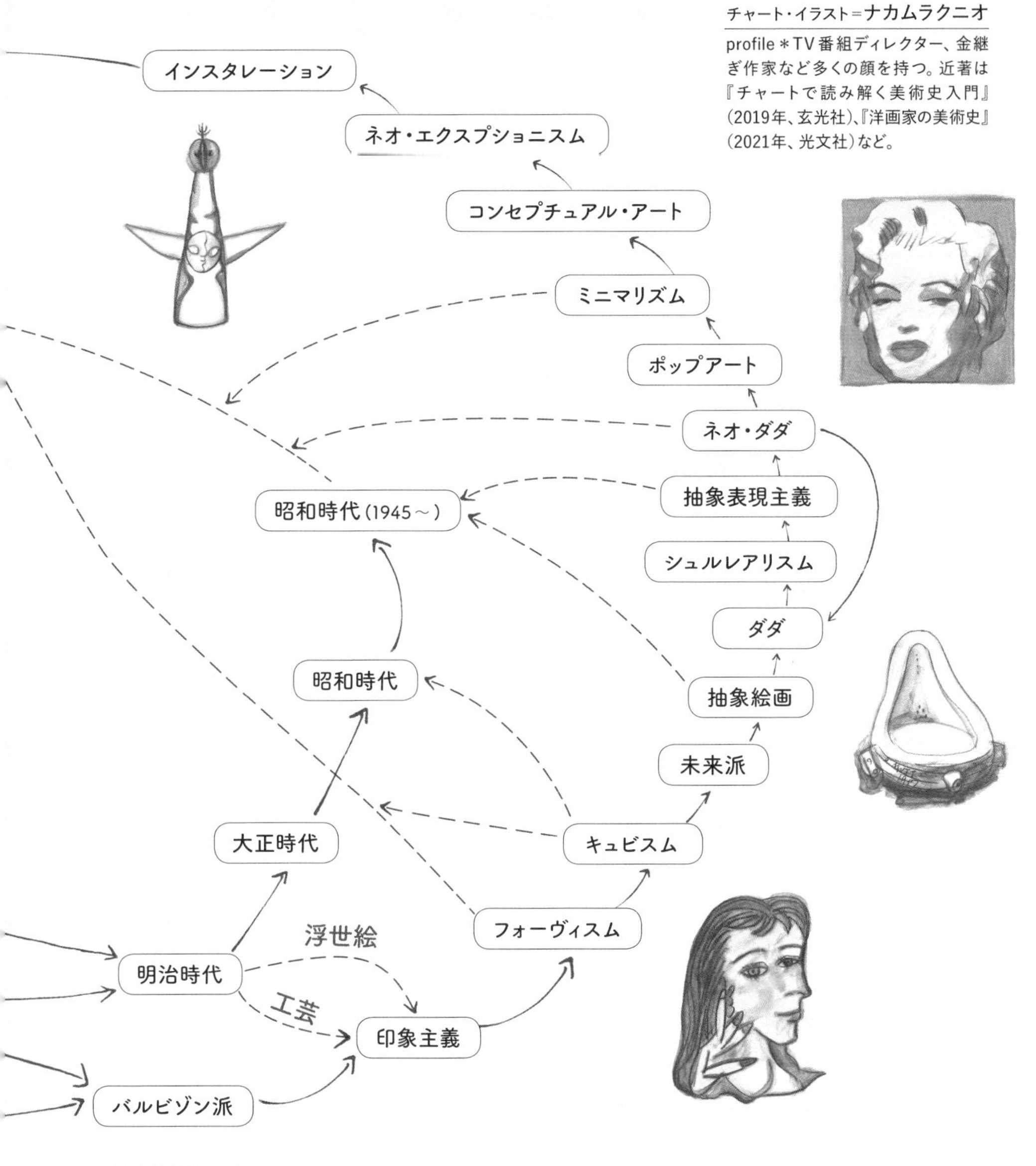

≡ 合格者の声

複雑な近・現代美術は、意識的に現代美術館に足を運ぶようにしました。作品や展示された時代チャート、作家のトークなどから、すとんと頭に入ってくることも多いと思います。　（徳島県　山本さん）

目次

美術検定® 3級問題集

Part 2

1970年代までの日本美術史 87

Part 3

美術のキホン・つくる+みる 137

Part 4

知識・情報の活用問題 153

合格者オススメのアートの本！

読むのが楽しくなって、作品もじっくり鑑賞できる西洋美術史の本、ありますか？

『美術の物語』がオススメ！
カラー図版もうれしい1冊。

著者の講義を受けている気分に！

E.H.ゴンブリッチ 著、
天野衛ほか翻訳
『美術の物語』ポケット版（2011年）
ファイドン　2310円
※ハードカバー版は2019年に
河出書房新社より発行

「美術とは何か」をわかりやすく説明した上で、先史時代から20世紀前半までの美術史の流れを丁寧に解説している本。専門用語を多用した知識凝縮型ではなく、「なぜこのような美術の系譜が生まれたのか」を語りかけるように説明しています。読み進めるうちに著者の学生として講義を受けている気分になるでしょう。また、作品の写真だけがまとめて巻末に掲載され、歴史上の有名作品を大きな写真でじっくりと鑑賞できます。
美術検定は上級になるほど、試験時に自ら考え、適切な案を出すことが求められます。読者に考えさせることに力点を置いた本書は、試験対策の一助となるはず！　（埼玉県　崎井さん）

1
1970年代までの西洋美術史

01 原始・古代の美術

Q1

最古の洞窟絵画とされているショーヴェの洞窟の壁画が描かれた時代は、次のうちどれにあたるでしょう。

① 青銅器時代　② 前期旧石器時代
③ 後期旧石器時代　④ 新石器時代

Q2

洞窟壁画に最も多く描かれた主題はなんですか。

① 人間　② 野生動物
③ 神　④ 風景

Q3

紀元前4000年頃のティグリス・ユーフラテス川流域で築かれたといわれる、巨大な神殿や日干しレンガによる建築を特徴とする文明はどれですか。

① エジプト　② クレタ
③ メソポタミア　④ エトルリア

Q4

ギリシアのクレタ文明について正しい説明はどれですか。

① カスピ海で栄えた古代文明である。
② おおらかさと躍動感に満ちた壁画が多く描かれている。
③ 紀元前3世紀頃栄えた。
④ 幾何学装飾陶器を特徴とする。

Q1 ③

フランス、アルデシュ県にあるショーヴェの洞窟壁画は1994年に発見されました。描かれたのは紀元前3万1000年前後と推測されますが、その年代については議論もあります。洞窟名は発見者の名にちなんだものです。

Q2 ②

洞窟壁画で描かれたのは動物が中心で、植物や風景に対する興味は見られません。動物は食用のために狩りの対象となった種類が多く、それらは鉄酸化物やマンガン酸化物といった鉱物系の顔料で描かれました。

Q3 ③

現在のイラク共和国を流れるティグリス川・ユーフラテス川地域はメソポタミアと呼ばれていました。紀元前6000年頃には原始農耕社会が始まっており、紀元前4000年頃にシュメール人により都市がいくつも建設されています。ウルクに残る白い神殿は、当時の遺構です。また、シュメール人は、くさび形文字を使って記録を残し、日干しレンガなどで家を建てていたことがわかっています。

Q4 ②

クレタ文明はエーゲ海のクレタ島で展開し、その最盛期は紀元前1700年から1400年でした。首都クノッソスなど各地には宮殿が造営され、その内部には地中海の恵まれた環境を造形化したような、躍動感あふれる壁画が描かれました。

Q5 微笑した顔の表情で知られる、古代ギリシアの彫刻様式をなんと呼ぶでしょうか。

① ヘレニズム　② ロマネスク
③ アルカイック　④ ビザンティン

Q6 古代ギリシア、アテネのパルテノン神殿は、ドーリア式という柱頭様式に別の柱頭様式を融合して建築されましたが、その様式をなんといいますか。

① トスカーナ式　② イオニア式
③ バシリカ式　④ アイオリス式

Q7 次の古代ギリシア彫刻のうち、作られた年代が最も新しいのはどれですか。

①《テネアのアポロン》　②《サモトラケのニケ》
③《デルフォイの御者》　④《クリティオスの少年》

Q8 下図の彫像のテーマと時代様式の組み合わせの中で正しいものはどれですか。

① 神官ラオコーンと息子たち — ヘレニズム
② 英雄ヘラクレスのヒュドラ退治 — アルカイック
③ 神々と巨人族の戦い — クレタ
④ 海神ポセイドンと従者 — クラシック

Q9 次の時代区分のうち、最も新しいのはどれですか。

① アッシリア美術
② シュメール美術
③ エジプト新王国美術
④ アカイメネス朝美術

▶Q8

Q5 ③

紀元前7〜6世紀のギリシア美術の様式を指す言葉「アルカイック」は「太古」「始原」を意味するギリシア語に由来し、この時代の彫刻に見られる微笑は「アルカイック・スマイル」と呼ばれています。

Q6 ②

古代ギリシアでは柱の様式が3種類存在していました。ドーリア式は最も古いもので柱は太くその柱頭に装飾は施されません。イオニア式は細くて優美な柱で柱頭に渦巻型の装飾、コリント式はさらに細く、柱頭にアカンサスの葉をモチーフとした装飾が付けられています。

Q7 ②

《テネアのアポロン》はアルカイック期、《デルフォイの御者》《クリティオスの少年》は初期クラシック期の作品。《サモトラケのニケ》は、《ミロのヴィーナス》《ラオコーン》と並ぶヘレニズム期彫刻を代表する作品の1つで、写実性と強い運動感が特徴です。

Q8 ①

テーマはトロイア戦争物語の一場面。大蛇に襲われる人物の激しい身振りや苦悶の表情などの動的で劇的な表現が、ヘレニズム様式の特徴をよく示しています。

Q9 ④

メソポタミア地方(現イラン共和国)は、アカイメネス朝ペルシアによって紀元前550年に統一されました。かつてシュメール人やアッカド人の文明が栄えた地域でもあり、メソポタミア、エジプトをはじめ、さまざまな地域の美術が総合的に採り入れられました。《翼のあるヤギ》(ルーヴル美術館所蔵)のような精緻な金属工芸などにこの美術の特質がよく現れています。

画集や
美術館サイトで
作品をチェック!

▶Q8
《ラオコーン》

BC40－BC20頃(1506年ローマ出土)
パリオ大理石　163×112×高さ204㎝
ヴァティカン美術館、ローマ

02 中世美術

Q10 初期キリスト教美術の遺構として有名なカタコンベとはなんですか。

① キリストや聖人の遺物を収めた容器
② 信者が洗礼を受ける建物
③ 2～4世紀頃に造られた地下墓所
④ 4～12世紀頃に造られた洞窟修道院

Q11 下図はイタリアのラヴェンナにある壁画です。どの様式に属するでしょう。

① ロマネスク　② エトルリア
③ ビザンティン　④ ゴシック

Q12 Q11の絵画に見られるような、大理石やきれいな色の鉱石、ガラスなどの小片を下図案に基づいて固定させて、壁画や床面の装飾をする技法をなんといいますか。

① レリーフ　② フレスコ
③ モザイク　④ テンペラ

Q13 8世紀から9世紀のビザンティン帝国で興った、聖像（イコン）を破壊する運動のことをなんと呼びますか。

① イコノクラスム　② イコノグラフィー
③ イコノロジー　④ エピファニー

▶Q11

Q10 ③

カタコンベはキリスト教徒が死者の埋葬のために地中に張り巡らした地下墓所です。2世紀末から4世紀後半にかけて、地中海沿岸のほぼ全域に造られました。サン・カルリなど重要なものはローマ周辺に集中しています。信者たちは死後の魂の救済を願い、その天井や壁の漆喰の上に絵を描きました。

Q11 ③

イタリアのラヴェンナは、6世紀以降ビザンティン帝国によるイタリア統治の拠点となった都市で、今日でもビザンティン時代の建築を数多く目にすることができます。サン・ヴィターレ聖堂の壁面にモザイクで表現されているユスティニアヌス帝は、6世紀に帝国の領土を最大に広げた皇帝です。

Q12 ③

初期キリスト教の教会堂のドーム（円い屋根）や壁面は、しばしば豪華なモザイクで装飾されています。これは、異教時代の、大理石の舗床モザイクの伝統を受け継いだものです。キリスト教徒は色ガラスを焼き付けて、輝くような壁面を生み出しました。ただし素材が高価すぎて、モザイクは次第にフレスコ画で代用されるようになりました。

Q13 ①

聖像は偶像崇拝へ通じる危険から、730年、東ローマ皇帝レオ3世の聖像禁止令により、イコノクラスムが興ります。西方ラテン教会は聖像肯定の立場を取り、多くの修道士や画工がイタリアに逃れました。ビザンティン美術はこの間停滞してしまいましたが、西方美術への大きな波及効果がありました。最終的には843年、聖像肯定派が勝利を収めました。

画集や
美術館サイトで
作品をチェック!

▶Q11
《ユスティニアヌス帝と廷臣たち》
（聖堂内陣側壁）

547－548
モザイク
サン・ヴィターレ聖堂、ラヴェンナ

Q14 下図のようなキリスト教の聖像画「イコン」について正しい説明を選んでください。

① 信仰の対象として持ち運びしやすいようにキャンヴァスに描かれた。
② 欧米に広く流布した。
③ ギリシア語で「肖像」や「類似」を意味する「エイコン」に由来する。
④ 過去の文化財であり、現在はまったく制作されていない。

Q15 11世紀から12世紀前半に、イタリアやフランスのラテン系諸国に興った下図のような建築様式はどれですか。

① ゴシック　② バロック
③ ロマネスク　④ ロココ

Q16 建築のロマネスク様式について、正しい記述を選んでください。

① がっちりとした壁体によって大きな窓を保持し、できるだけ多くの光を採り込んだ。
②「ロマネスク」とは「ローマ風の」といった意味である。
③ 教会堂建築のプランはバシリカ式ではなく、ギリシア十字型を基本とする。
④ 代表的な建築としてランス大聖堂がある。

Q17 ロマネスク様式の聖堂には壁画が多く描かれましたが、ゴシック様式の聖堂を飾っていた代表的なものはなんですか。

① モザイク　② 板絵
③ レリーフ　④ ステンドグラス

Q18 『ベリー公のいとも豪華なる時祷書』に代表される、宮廷趣味の優美さと装飾性、すぐれた細部描写を特色とする14世紀末頃の様式をなんと呼びますか。

① ゴシック・リバイバル　② フォンテーヌブロー派
③ 国際ゴシック　④ シエナ派

▶Q15

Q14 ③

イコンはビザンティン帝国において盛んに制作されました。ここでは8世紀にイコノクラスム(聖像破壊運動)が起こりますが、イコン信仰の復活にともない再び優れたイコンが制作されるようになりました。

Q15 ③

ロマネスク建築の特徴は重厚な石壁と開口部の小ささにともなう暗い内部空間。この時代には聖地巡礼が盛んになり、多数の参拝者の受け入れに適した形式の聖堂も多く造られるようになりました。

Q16 ②

ロマネスクの教会建築は、多数の参拝者を収容できるように巡礼路聖堂の形式で発展しました。ロマネスク時代最大の教会堂建築、フランスのトゥルーズにあるサン・セルナン大聖堂をはじめ、スペインの聖地サンティアーゴ・デ・コンポステーラに向かう街道沿いの街に建てられたロマネスク教会堂の多くが、この形式を踏んでいます。

Q17 ④

ゴシック建築は12世紀頃から、フランス北部、イギリス、ドイツなどヨーロッパの北方を中心に広がりました。技術の向上により窓を大きくすることが可能になり、窓の装飾に色ガラスの小片を組み合わせて絵や模様を作り出すステンドグラスが用いられました。聖堂内を光と色彩で彩り、神秘的な空間を演出しています。また、高さを追求したのもゴシック建築の特徴です。

Q18 ③

14世紀中頃から、ヨーロッパ各地で宮廷や教会が他国の芸術家に制作を依頼するなど、芸術家の移動と交流の機会が増えました。多地域の芸術が相互に影響し合う中から、国を超えた共通性を持った様式が生まれました。その始まりは、シエナ派の活動にあるともいわれています。また、13〜14世紀のイタリアは社会構造や美術様式が他地域と異なり、のちのルネサンスを準備した時期です。そのため、この間のイタリア美術を「プロト・ルネサンス」と区分することもあります。

画集や
美術館サイトで
作品をチェック!

▶Q14
アンドレイ・ルブリョフ
《聖三位一体》
1425－27
板・テンペラ　141.5×114cm
トレチャコフ美術館、モスクワ

▶Q15
ピサ大聖堂
11－14世紀
ピサ

03 ルネサンス美術1（初期・盛期ルネサンス）

Q19 「ルネサンス」とは「再生」を意味しますが、なんの再生だったのですか。

① ロマネスク　② ギリシア・ローマ文化
③ ケルト文化　④ オットー朝文化

Q20 Q19の運動が最初に起きたのはどの都市ですか。

① フィレンツェ　② ミラノ
③ ローマ　④ ヴェネツィア

Q21 中世から17世紀頃までのヨーロッパでは、どのようにして美術工芸の専門技術を学んだのでしょうか。

① 先人の作品や書物から独学で学びとった。
② 職人工房に弟子入りして、親方のもとで修練を積んだ。
③ 専門の学校に入って授業を受けた。
④ 同じ目的を持つ仲間とサークルを作って、一緒に実験を重ねた。

Q22 右図の彫刻の作者はだれでしょう。

① ギベルティ　② ポライウォーロ
③ ドナテッロ　④ ミケランジェロ

▶Q22

Q19 ②

キリスト教美術一色だった中世から「再生」を意味するルネサンスに入ると、ギリシア・ローマ美術の復興と同時に「人間性の回復」の時代ということもあって、神話を題材とした作品も多く制作されるようになりました。《ヴィーナスの誕生》のように裸体を前面に出した作品も登場します。

Q20 ①

中世ヨーロッパの都市国家の1つ、フィレンツェでは、14世紀から15世紀にかけて、銀行家・政治家のメディチ家が力をつけ始めます。「祖国の父」と呼ばれたコジモ・ディ・メディチは造営事業とともに文化に対しても積極的に支援しました。このメディチ家の伝統が15世紀にフィレンツェの文化を開花させる原動力となります。レオナルド、ラファエロ、ミケランジェロも、メディチ家の庇護のもとで才能を発揮しました。

Q21 ②

工房の職人は、親方の指揮のもとで共同・分担して制作に携わることで技術を高めていきました。修道院もまた重要な美術品制作の場であり、中世には数多くの写本が作られ、ルネサンス期にはフラ・アンジェリコなどの優れた修道僧兼画家が現れました。

Q22 ③

ギベルティの工房で修業したドナテッロは、古代的理想の復活を彫刻分野で大胆に示しました。《ダヴィデ》は、古代彫刻の本質的要素であるコントラポストを採用するだけでなく、聖書の英雄の裸体表現という大胆な試みに挑みました。これは二本足だけで立つ独立像の、古代以後最初の作例でした。

画集や
美術館サイトで
作品をチェック！

▶Q22
ドナテッロ
《ダヴィデ》

1440頃
ブロンズ　高さ158cm、
バルジェロ国立博物館、フィレンツェ

Q 23

下の図版のような、空間の奥行を表すための工夫をなんと呼ぶでしょう。

① 透視図法　② 鳥瞰図法
③ 空気遠近法　④ 蛙の遠近法

Q 24

『絵画論』を執筆した、初期ルネサンスの建築家はだれでしょう。

① ブルネッレスキ　② アルベルティ
③ ジョルジョ・ヴァザーリ　④ チェンニーノ・チェンニーニ

Q 25

花の都フィレンツェにある建築はどれですか。

① サン・ピエトロ大聖堂　② ウフィツィ美術館
③ システィナ礼拝堂　④ コロッセウム(コロッセオ)

Q 26

フィレンツェで活躍し、《貢の銭》《聖三位一体》などの作品を残した画家、マザッチョが活動した時期は、次のうちのどれですか。

① 国際ゴシック　② 初期ルネサンス
③ 盛期ルネサンス　④ マニエリスム

Q 27

下図の作者はだれでしょう。

① ウッチェロ　② ピエロ・デッラ・フランチェスカ
③ フィリッポ・リッピ　④ アンドレア・マンテーニャ

▶ Q23

▶ Q27

Q23 ①

透視図法は遠近法を表現する方法の1つです。画面に消失点を設定し、そこに向かって収斂していく複数の基本線と、それに直行する水平線に基づいて、建物や人物を配置していく方法です。事物は、手前から奥に向かって規則的に小さくなっていきます。マザッチョをはじめ15世紀の画家たちは、三次元的空間を平面に置き換える遠近法を熱心に研究しました。

Q24 ②

アルベルティの『絵画論』は、絵画を「幾何学を基礎とする学問」として、遠近法や画家に必要な教養を著したもので、絵画の新しい見方を提示しました。また、『彫刻論』や『建築論』も著して、同時代や後世に大きな影響を与えています。アルベルティは、サンタ・マリア・ノヴェッラ聖堂ファサードの設計も手がけた、いわゆるルネサンスの「万能の人」でした。

Q25 ②

ウフィツィ美術館は、ルネサンス時代の芸術家たちを支えたことでも名高いメディチ家のコレクションをもとにした美術館。もとはトスカーナ公国の官庁として、『ルネサンス画人伝』(美術家列伝)の著者としても知られるジョルジョ・ヴァザーリが設計した建物です。なお、ローマ・カトリックの総本山であるサン・ピエトロ大聖堂は、システィナ礼拝堂を含むヴァティカン美術館のあるヴァティカン宮殿とともにローマ(ヴァティカン市国)にあります。

Q26 ②

マザッチョは、初期ルネサンス期に出た画家で、初めて正確な1点透視図法(線遠近法)を絵画に採り入れた、革新的な人物です。14世紀初頭に活躍したジョットの人間らしい表現を受け継ぎ、そこに奥行きのある空間表現を完成させました。なお、マザッチョの代表作のタイトルとされる《貢の銭》《聖三位一体》は、キリスト教絵画の代表的な主題です。

Q27 ④

マンテーニャは、綿密な描写と意表をつくような透視図法による構成の絵画で知られています。《死せるキリスト》では大胆な短縮法で足の方からキリストを描きました。また、ドゥカーレ宮殿の「結婚の間」の天井画は、バロック期に流行するイリュージョニズム天井画の先駆的存在ともなっています。

画集や
美術館サイトで
作品をチェック!

▶Q23
ピエロ・デッラ・フランチェスカ
《聖十字架の発見と検証》(部分)
1452−66頃
フレスコ　356×747cm
サン・フランチェスコ教会、アレッツォ

▶Q27
アンドレア・マンテーニャ
《結婚の間の天井画》(部分)
1465−74
フレスコ　直径270cm
ドゥカーレ宮殿、マントヴァ

Q 28

下図の絵の主題はなんですか。

① 受胎告知　② マリアの昇天
③ 聖母マリアの教育　④ 悲しみの聖母

Q 29

ボッティチェリの《ヴィーナスの誕生》に関する正しい記述はどれですか。

①《プリマヴェーラ（春）》はこの作品の後に制作された。
② 陰影や人体の肉付けを、筆の跡が見えないほどの滑らかな階調で描写している。
③ 画面中央のヴィーナスは、知恵と戦いの女神である。
④ キャンヴァスに描かれた大画面の作品としては最初期に属する。

Q 30

フィレンツェで大きな工房を構えた画家・彫刻家ヴェロッキオのもとで修業していないのは次のうちだれですか。

① ラファエロ　② ロレンツォ・ディ・クレディ
③ レオナルド・ダ・ヴィンチ　④ ペルジーノ

Q 31

ミケランジェロは、システィナ礼拝堂に天井画（《天地創造》など）と祭壇画（《最後の審判》）を描きました。それぞれのテーマのもとになった書物の正しい組み合わせはどれですか。

①『オデュッセイア』—『旧約聖書』
②『旧約聖書』—『新約聖書』
③『神曲』—『旧約聖書』
④『新約聖書』—『黄金伝説』

▶Q28

Q 32

下図のキリストが12人の弟子たちを前に「この中に私を裏切る者がいる」と告げる場面を表した、キリスト教美術の主要なテーマはどれですか。

① 最後の審判
② 貢の銭
③ キリストの変容
④ 最後の晩餐

▶Q32

Q28 ①

「受胎告知」はマリアのもとに大天使ガブリエルがやってきて懐胎を告げる場面です。作品によっては大天使ガブリエルが白百合を持っている場合がありますが、これは聖母の純潔を表しています。

Q29 ④

15世紀後半までのテンペラ画や油彩画は、大半が板に描かれていました。16世紀に入ってヴェネツィア派が多様な筆触の効果を出しやすいキャンヴァスを好んで用いるようになり、以後の油彩画の主流となっていきました。

Q30 ①

彫刻家ヴェロッキオの工房からはレオナルド・ダ・ヴィンチのほか、ラファエロの師であるペルジーノも出ています。当時の工房では彫刻家の親方が弟子に絵画を教えることも珍しくありませんでした。

Q31 ②

1512年に完成した天井画の主要部には《天地創造》をはじめとした『創世記』からの9場面、その周囲には預言者や巫女などが描かれています。30年近く後に制作された祭壇画《最後の審判》(1541年完成)では世界の終末と人類への審判の光景を、再臨したキリストを中心としたダイナミックな構図で描いています。

Q32 ④

キリストが捕らえられる直前の夜、12人の弟子たちとの最後の食事での出来事。美術作品に表される場合、キリストが裏切りの予告をして弟子たちが驚く瞬間の描写、またはのちのキリスト教の儀式(ミサ)のルーツである晩餐の光景を強調した構図に重点が置かれます。

画集や美術館サイトで作品をチェック!

▶Q28
フラ・アンジェリコ
《受胎告知》
1439−44頃
フレスコ　230×291cm
サン・マルコ修道院美術館、フィレンツェ

▶Q32
レオナルド・ダ・ヴィンチ
《最後の晩餐》(壁画)
1495−98
油性テンペラ　420×910cm
サンタ・マリア・デッレ・グラツィエ教会、ミラノ

Q 33

キリスト教美術において、「ピエタ」とはどのような場面を指しますか。

① キリストの洗礼　② 死せるキリストと聖母マリア
③ 幼児キリストとその家族　④ キリストの復活

Q 34

ミケランジェロなどを擁護し、イタリア盛期ルネサンス美術のパトロンとして有名な教皇はだれですか。

① インノケンティウス8世　② ピウス2世
③ ユリウス2世　④ レオ1世

Q 35

下図はミケランジェロが注文を受けて制作した彫刻です。何のために制作されたものですか。

① 教会の正面扉の装飾　② 官庁の建物の装飾
③ メディチ家の墓廟の装飾　④ マントヴァ家のパラッツォの装飾

Q 36

スフマートや空気遠近法を考え、発展させた盛期ルネサンスの画家はだれですか。

① レオナルド・ダ・ヴィンチ　② ラファエロ
③ ミケランジェロ　④ ボッティチェリ

Q 37

ラファエロの作品で人気を博したモチーフは次のうちのどれでしょう。

① 筋骨たくましい神々の姿
② 理想的に構成された風景表現
③ 壮大なスケールの戦場場面
④ 優美で調和のとれた聖母子像

▶Q35

Q33 ②

「ピエタ」はイタリア語で「哀れみ」「慈悲」という意味で、美術では聖母がキリストの亡骸を抱く様子などがこのテーマのもとで表現されます。聖母子はミケランジェロが生涯にわたって追い続けたテーマでした。

Q34 ③

15世紀末から16世紀初頭にかけての盛期ルネサンス美術のおもな舞台は、ローマとヴェネツィアです。前者は教皇ユリウス2世やレオ10世のもとで活気を取り戻し、後者は地中海貿易で繁栄します。凄腕の政治家として知られるユリウス2世は、芸術の愛好家でもありました。彼はミケランジェロにシスティナ礼拝堂の天井画を描かせるなど、以前よりもはるかにスケールの大きな作品の制作を促し、支えました。

Q35 ③

1512年にフィレンツェの共和制が崩壊し、メディチ家が再びその支配権を確立すると、教皇ユリウス2世の跡をメディチ家出身の教皇レオ10世が継ぎます。彼はサン・ロレンツォ聖堂内にメディチ家礼拝堂を造り、ロレンツォとジュリアーノの墓碑制作をミケランジェロに命じました。墓碑には中央にそれぞれの肖像が置かれ、その下方に「曙」と「黄昏」および「昼」と「夜」の寓意像が配置されています。

Q36 ①

スフマートは、明暗の微妙な移行によって形態を柔らかく浮かび上がらせたり周囲に溶かし込んだりする技法。この技法は画面に新たな統一感をもたらし、人物に豊かな生気を与えます。空気遠近法は遠方の対象が青みを帯びて霞むことを応用し、色彩で画中空間の奥行きを暗示する技法。レオナルドはこれらの技法を組み合わせ、《モナ・リザ》などで奥深い神秘的な空間を作り出しました。

Q37 ④

ラファエロが多く描いた聖母子像は、イタリアで「マドンナ」と呼ばれるキリストの母、聖母マリアと幼いキリストの姿が描かれた図像です。ラファエロの、慈しみの眼差しをキリストに向ける聖母の穏やかな表情と伸びやかなキリストの姿は、のちの画家たちにも大きな影響を与えました。聖母マリアは、キリスト教絵画において最も多く描かれる聖人の1人で、赤い衣と青いマントが目印です。

画集や
美術館サイトで
作品をチェック！

▶Q35
ミケランジェロ・ブオナローティ
《ジュリアーノ・デ・メディチの墓碑》(中央：肖像／右：「昼」、左：「夜」)
1526－34頃
大理石　肖像高さ173cm・「昼」高さ185cm・「夜」194cm
サン・ロレンツォ聖堂、フィレンツェ

Q 38 ジョルジョーネ、ティツィアーノ、ティントレットらを輩出したイタリアの都市はどれですか。

① フィレンツェ　② ローマ
③ ヴェネツィア　④ ミラノ

Q 39 フィレンツェ派の「素描」と対照的に語られる、ヴェネツィア派の特徴とはなんでしょう。

① 仕上げ　② 色彩
③ 現実感　④ 構図

Q 40 ジョルジョーネが描いた下の作品はなんというタイトルでしょう。

①《田園の奏楽》　②《嵐》
③《眠れるヴィーナス》　④《ウルビーノのヴィーナス》

Q 41 下図の作者はだれでしょう。

① ティントレット　② ティツィアーノ
③ ロレンツォ・ロット　④ ヴェロネーゼ

Q 42 次のうち、晩年のレオナルド・ダ・ヴィンチやロッソ・フィオレンティーノらを保護したパトロンはだれですか。

① フランソワ1世
② レオ10世
③ ロレンツォ・デ・メディチ
④ ユリウス2世

▶Q40

▶Q41

Q38 ③

ヴェネツィアでは、15世紀後半からベッリーニ一族を中心に絵画が発展し、アントネッロ・ダ・メッシーナが油絵の技法をもたらして16世紀に黄金時代を迎えます。イタリアでいち早くこの都市に油絵が根づいたのは、海に囲まれているためにフレスコの劣化が早かったからです。ティントレットやヴェロネーゼらに巨大な画面が多いのは、フレスコ画の代わりにキャンヴァス画で壁面を飾ったからでしょう。

Q39 ②

15世紀のフィレンツェ派が重視した素描とは、遠近法や解剖学を通して空間や人物を構造的に把握し、それを画面に組み立てていくための下描き。描き直しができないフレスコ画が主流だったため、下描きをしっかり作る必要がありました。一方、16世紀のヴェネツィア派は、色彩に官能的な喜びを見出しました。彼らの用いる油絵は何度でも塗り重ねたり削ったりできる技法なので、素描はそれほど重視されなかったのです。

Q40 ③

ジョルジョーネによって始まるヴェネツィア派は、ストーリー性よりも絵画の感覚的魅力の追求を優先する傾向があります。左図の作品も、主題の束縛を離れて、人物と風景のかもし出す詩的雰囲気が特徴です。この作品と比較すると、ティツィアーノの《ウルビーノのヴィーナス》では、女性の裸体に理想美よりもむしろ直接的な官能性が求められているといえます。

Q41 ④

ヴェネツィア派のヴェロネーゼは、世俗的な祝祭的雰囲気を持つ作品を数多く描いています。この作品は、本来は「最後の晩餐」を主題にしていましたが、主題と無関係な人物を多数描き込んだことで、異端審問所に召喚されて描き直しを命じられました。題名を《レヴィ家の饗宴》に変えて、ことなきを得ましたが、このことは作品が教会の検閲の対象となる時代に入ったことを意味しています。

Q42 ①

フランソワ1世は、レオナルドをはじめ、イタリアの芸術家を保護したフランス王です。ルネサンスの時代、作品はパトロンからの注文で制作され、その意向が作品に反映されました。この時代のパトロネージは、政府、同業組合、教会などの公的パトロネージ、君主、教皇、貴族、市民などの私的パトロネージに大別されます。

画集や美術館サイトで作品をチェック！

▶Q40
ジョルジョーネ
《眠れるヴィーナス》
1508－10頃
キャンヴァス・油彩　108.5×175cm、
ドレスデン国立絵画館

▶Q41
パオロ・ヴェロネーゼ
《レヴィ家の饗宴》
1573
キャンヴァス・油彩　556×1280cm、
アカデミア美術館、ヴェネツィア

04 ルネサンス美術2（北方ルネサンス）

Q43 北方ルネサンスの「北方」とはどこより北側の地域でしょう。

① ピレネー山脈　② ローマ
③ ロワール川　④ アルプス山脈

Q44 北方ルネサンスの中心地フランドルは、現在のどの国にあたりますか。

① スウェーデン　② ベルギー
③ スイス　④ ジンバブエ

Q45 下図は、15世紀フランドル絵画を代表する画家で、油彩画の技法を完成したといわれている兄弟の作品ですが、次のうちのどの兄弟ですか。

① ポライウォーロ兄弟　② リュミエール兄弟
③ ファン・エイク兄弟　④ カラッチ兄弟

Q46 カンピンに学んだと考えられているフランドルの画家で、祭壇画や肖像画に卓越した手腕を見せたのはだれですか。

① ファン・デル・ウェイデン　② バウツ
③ メムリンク　④ コンラート・ヴィッツ

▶Q45

Q43 ④

北方ルネサンスの「北方」とは、アルプスの北側にあるドイツ、ネーデルラント(現在のオランダ、ベルギー)を指します。その中心がフランドル地方でした。この地方は、油絵具の原料である亜麻仁油の産地でした。

Q44 ②

フランドルとはネーデルラント南部地域の名称。中世から毛織物業で栄え、15世紀に最盛期を迎えました。ブリュージュ、アントワープなどの都市が栄え、ファン・エイク兄弟ら初期フランドルの画家たちを輩出。16世紀にスペインの支配下に入り、宗教改革で多数派のプロテスタントが北に逃れて、ネーデルラント連邦共和国(オランダ)として独立します。その頃のフランドルの画家にルーベンス、ヴァン・ダイクらがいます。

Q45 ③

油絵具は中世末期のテンペラ画でも部分的に使用されていました。ファン・エイク兄弟は油絵具の特性を生かして、透明感のある鮮やかな色彩や滑らかな絵肌、非常に細密な描写を実現し、油彩技法を完成させたとされています。

Q46 ①

ロヒール・ファン・デル・ウェイデンは、初期フランドルの画家で、ブリュッセル市の公式画家でもありました。《ミラフロレスの祭壇画》《若い女性の肖像》(ベルリン美術館・絵画館)や《読書するマグダラのマリア》(ナショナル・ギャラリー、ロンドン)に見られるような、油彩による鮮やかな色彩と人の細やかな表情を描き出しています。また、宗教画に、現実感あふれる市民の日用品なども細かく描き込みました。

画集や
美術館サイトで
作品をチェック!

▶Q45
ファン・エイク兄弟
《神秘の仔羊の礼拝》(ヘントの祭壇画・部分)

1432完成
板・油彩　375×260cm(閉扉時)、375×520cm(開扉時)
聖バーフ大聖堂、ヘント(ゲント)

Q47 15世紀に描かれた下図の絵画《快楽の園》について正しく述べているのはどれですか。

① 教会の壁面に直接描かれている。
② 現在はスペインのプラド美術館が所蔵している。
③ 実在の人物も描かれている。
④ キャンヴァスに描かれた油絵である。

Q48 ヴェネツィアでルネサンスの美術や理論を学び、《メランコリアI》をはじめ銅版画でも北方の細密な描写と結びつけた作品を生み出した、ドイツ出身の画家はだれですか。

① デューラー　② クラーナハ（父）
③ ブリューゲル（父）　④ グリューネヴァルト

Q49 クラーナハ（父）の友人であり、彼がしばしば肖像画を描いた宗教改革者はだれですか。

① マルティン・ルター　② ジャン・カルヴァン
③ フルドリッヒ・ツヴィングリ　④ ヤン・フス

Q50 下図《キリストの磔刑》（イーゼンハイムの祭壇画）を描いた、ドイツ・ルネサンスの画家はだれですか。

① アルトドルファー　② デューラー
③ クラーナハ（父）　④ グリューネヴァルト

Q51 次のネーデルラントの画家のうち、活動した時期が最も遅いのはだれですか。

① ブリューゲル（父）　② ファン・デル・ウェイデン
③ ヤン・ファン・エイク　④ ボス

▶Q47

▶Q50

Q47 ②

ネーデルラントの画家ヒエロニムス・ボスの代表作である《快楽の園》には聖書に登場するモチーフが描かれてはいますが、画面のほとんどを不気味な怪物や奇妙な動植物などが占めています。ボスが創り出した幻想的な世界は、のちのブリューゲルの作品に影響を与え、シュルレアリスムの画家たちの関心も呼びました。

Q48 ①

デューラーは15世紀末から16世紀初頭、ヴェネツィアに滞在してイタリア・ルネサンス美術を学び、マンテーニャやベッリーニなどから影響を受けました。その後、知識に裏付けられた理想的人体表現と合理的空間表現をドイツ絵画に導入します。ドイツの伝統にはなかった堂々たる裸体の男女像《アダムとエヴァ》(1507)には、明らかにイタリアからの影響が見てとれます。

Q49 ①

ルーカス・クラーナハ(父)はヴィッテンベルク(現ドイツの1都市)のザクセン選帝侯の宮廷画家。ヴィッテンベルクに工房を設立し、宗教画から世俗的な主題の絵画まで幅広い制作活動を行いました。ルターはヴィッテンベルク大学の教授であり、クラーナハはルターの熱心な擁護者となりました。とはいえ、彼は宗教改革運動の中で廃れつつあった伝統的な宗教画の注文にも応じています。

Q50 ④

マティアス・グリューネヴァルトは、デューラーと並ぶドイツ・ルネサンスの巨匠の1人です。《イーゼンハイムの祭壇画》中央図で十字架にかけられ傷ついたキリストの苦しみや周囲の人物の悲しみを直接的に描く表現はゴシックの伝統を継承しており、ルネサンス的な写実描写が加わることで、劇的な効果を高めています。

Q51 ①

最も遅い16世紀に活動したのはブリューゲル(1525/30－1569)。農民の風俗や聖書、ことわざを題材にした作品で知られ、時にはボスの影響を受けた幻想的な場面も描きました。同名の息子も画家であったため、大ブリューゲルまたはピーテル・ブリューゲル(父)と表す場合もあります。

画集や美術館サイトで作品をチェック!

▶Q47
ヒエロニムス・ボス
《快楽の園》(祭壇画・部分)
1490－1500
油彩・板　205.5×384.9cm(額縁含む)
プラド美術館、マドリード

▶Q50
マティアス・グリューネヴァルト
《キリストの磔刑》(イーゼンハイムの祭壇画・部分)
1512－16
油彩・板　376×688cm(全図)
ウンターリンデン美術館、コルマール

05 ルネサンス美術3（マニエリスム）

Q 52 マニエリスム様式に関する記述のうち、正しいものはどれですか。

① 「型どおりで新鮮味がないこと」を意味する言葉を語源としている。
② 16世紀のフランスで興り、やがてヨーロッパ中に影響をおよぼした。
③ 調和と均整を重んじた画面構成や人体表現が特徴である。
④ ミケランジェロの後期の作品は、その先駆といわれている。

Q 53 人物の表情やデフォルメされた体つきなどが不安をかきたてるような《十字架降下》を描いた、マニエリスムの画家はだれですか。

① パルミジャニーノ　② ピエロ・ディ・コジモ
③ ポントルモ　④ ティントレット

Q 54 下図の作者はだれでしょう。

① ミケランジェロ　② ジャンボローニャ
③ バンディネッリ　④ アンマナーティ

Q 55 スペインで活動したマニエリスムの画家、エル・グレコの出身地はどこですか。

① イタリア　② ギリシア
③ フランス　④ モロッコ

▶Q54

Q52 ④

16世紀イタリアで展開した様式で、「様式・手法」を意味する「マニエラ」が語源。今日使われている「マンネリズム（マンネリ）」もここから派生した言葉です。細長く伸ばされた人体や入り組んだポーズ、鮮やかな色彩などが特徴で、明暗や遠近を強調した動的な構成にバロック様式へつながる要素が見られます。

Q53 ③

ポントルモやロッソ・フィオレンティーノはマニエリスムを代表する画家です。彼らの「十字架降下（キリスト降架）」を題材にした作品は、古典主義の荘厳な人物表現や安定した空間表現とは反対に、重量感のない謎めいた人物や曖昧な空間の表現が特徴です。彼らは盛期ルネサンス美術を模範としつつも、それとは異なる独自の表現を模索しました。

Q54 ②

マニエリスムの彫刻家ジャンボローニャ（ジョヴァンニ・ダ・ボローニャ／ジャン・ド・ブーローニュ）はフランドルの生まれですが、1550年頃ローマに到着して古代彫刻やミケランジェロを研究、その後フィレンツェで活動しました。《サビニの女の略奪》には、ミケランジェロの造型理念であるねじれた人体による情念の表出が受け継がれています。どの角度から見ても3人の人物がらせん状に連なって見えます。

Q55 ②

「エル・グレコ」は「ギリシア人」を意味するあだ名で、本名はドメニコス・テオトコプーロス。クレタ島で生まれ、ヴェネツィア、ローマで修業した後にスペインに移り、最期までこの地で暮らしました。独特の縦に引き伸ばされた人体描写と動きのあるタッチを用いて神秘的な宗教画を描きました。

画集や美術館サイトで作品をチェック！

▶Q54
ジョヴァンニ・ダ・ボローニャ
《サビニの女の略奪》

1579－83
大理石　高さ約410cm
ランツィの回廊（シニョーリア広場）、フィレンツェ

06 バロック・ロココ美術

Q 56

「バロック」とはどんな意味ですか。

① 再生　② 暗い部屋
③ 装飾過剰　④ ゆがんだ真珠

Q 57

レンブラントの《夜警》の解説として、ふさわしいものを選んでください。

① 啓蒙思想を背景に、市井の人々の生活を描く絵画が生まれた時代の代表作。
② ロココ美術に対する批判から、「描かれた彫刻」のような表現を試みた。
③ 17世紀に流行った肖像画の一種で、強い明暗対比が劇的雰囲気を生んだ。
④ 絶対王政下の民衆と軍との戦いを描いた歴史画で、後世にも影響を与えた。

Q 58

次のうち、バロック建築の特徴はどれでしょう。

① 聖堂や宮殿で、仰観的遠近法を駆使した天井画が盛んに制作された。
② 大聖堂を飾るステンドグラスが盛んに作られた。
③ 過去のさまざまな様式を復活させた歴史主義的な様式が特徴的である。
④ 人体比例と音楽の調和を建築に組み合わせ、設計において簡単な整数比を用いた。

Q 59

下図はだれの作品ですか。

① カラッチ　② カラヴァッジョ
③ リベーラ　④ エル・グレコ

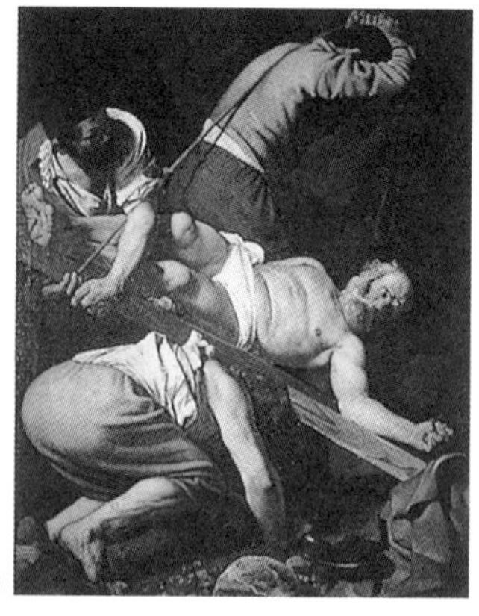

▶Q59

Q56 ④

「バロック」の語源は、ポルトガル語で「ゆがんだ真珠」を意味する「バロッコ」であるとする説が最も有力。バロック時代に美術以外の分野で活躍した人物に、音楽家バッハや科学者ガリレオなどがいます。

Q57 ③

バロックと称される17世紀には、フランドルのルーベンスのほか、オランダのレンブラント、イタリアのカラヴァッジョ、スペインのベラスケスなどがヨーロッパ各地で活躍しました。彼らの絵画は迫真的な写実表現を基礎としながら、躍動感をともなう劇的な表現、そして明暗法による強いコントラストが特徴です。これらの絵画は、「線的」なルネサンスと対比して「絵画的」といわれました。

Q58 ①

バロック建築はほかの芸術を含めた総合芸術になり、都市や庭園の景観に組み込まれて巨大な全体像を形成するようになります。その背景にはカトリック教会や絶対王政の権威、地球規模に広がった世界観がありました。曲面や楕円形が好まれ、またイリュージョニズムを用いた天井画が多く制作されました。

Q59 ②

カラッチと並んでイタリア・バロックの代表的な画家はカラヴァッジョです。彼は風俗画や静物画を描き、また宗教画の人間を現実感あふれる庶民の姿で表しました。とはいえその宗教画は、聖なるものの俗化ではなく、写実的な描写と強烈な明暗対比が組み合わされることで、むしろ現世における神性の顕現が意図されているのです。

画集や
美術館サイトで
作品をチェック！

▶Q59
ミケランジェロ・メリジ・ダ・カラヴァッジョ
《聖ペテロの磔刑》

1601－02
キャンヴァス・油彩　230×175cm
サンタ・マリア・デル・ポポロ聖堂、ローマ

Q60 フェリペ4世に仕えたスペインの宮廷画家は次のうちのだれですか。

① リベーラ　② ゴヤ
③ ベラスケス　④ スルバラン

Q61 ルーベンスはどのような作品を描きましたか。

① 古代の彫刻や建築、ラファエロやカラッチの絵画に学び、古典主義様式を確立した。
② イギリスの宮廷画家となって洗練された肖像画を描き、この分野で成功を収めた。
③ 大工房を構え、ヴェネツィア派の流れを汲む華麗な色彩とリズムで、あらゆるジャンルの作品を描いた。
④ 大まかな筆触で視覚的な印象を的確にとらえた、宮廷の人々の肖像画が代表的である。

Q62 ルーベンスのもとで学び、イギリスで活躍した画家はだれですか。

① ヨルダーンス　② ヴァン・ダイク
③ フランス・ハルス　④ フュースリ

Q63 下図の作者はだれでしょう。

① レンブラント　② ヤン・ステーン
③ フランス・ハルス　④ ヘリット・ダウ

Q64 下図のフェルメール《手紙を読む女》のように日常生活のひとこまを描いた絵画のことをなんと呼びますか。

① 風景画　② 肖像画
③ 寓意画　④ 風俗画

▶Q63

▶Q64

Q60 ③

ベラスケスが、スペイン国王付きの宮廷画家として任命されたのは1623年のこと。それから数十年後に描かれた《ラス・メニーナス》は、国王フェリペ4世夫妻をベラスケスが描くという場面設定となっており、画面中央には国王夫妻の娘マルガリータが描かれています。

Q61 ③

フランドル・バロックの画家ルーベンスは、大工房を構えるだけでなく、外交官としても活躍するなど、社会的にも成功した人物でした。同時代の才能豊かな画家ヴァン・ダイクがイギリスへ渡ったのは、フランドルにいる限りルーベンスの二番手という評価をまぬがれることができなかったからという説もあります。

Q62 ②

ヴァン・ダイクはルーベンスの工房で助手として働いた後、イタリア留学を経て、イギリス王チャールズ1世の宮廷画家となりました。彼が最も得意としたのは公式肖像画でした。繊細で品格があり、モデルの地位や心理を巧みに演出するその肖像画は、ゲインズバラやレノルズが手がけた18世紀イギリス肖像画の範例になりました。

Q63 ③

オランダの肖像画でモデルの心理描写に傑出したのはレンブラントとハルスです。ハルスは肖像画家としてハーレムを拠点に活動し、貧しくも屈託なく生きる庶民から都市の裕福な市民まで幅広く作品の対象とし、さまざまな肖像画、集団肖像画、風俗画を描きました。大胆な筆触を生かして人物の瞬間的表情を巧みにとらえるのが特徴的です。

Q64 ④

17世紀オランダの画家フェルメールの現存する作品は約35点と少なく、その大半が風俗画です。彼の作品では、日常的な行為をする1人か2人の人物が、簡潔な構図の中で、落ち着いた柔らかい光のうちにとらえられています。

画集や
美術館サイトで
作品をチェック！

▶Q63
フランス・ハルス
《陽気な酒飲み》
1628－30頃
キャンヴァス・油彩　81×66.5cm
アムステルダム国立美術館

▶Q64
ヨハネス・フェルメール
《手紙を読む女》
1663頃
キャンヴァス・油彩　46.5×39cm
アムステルダム国立美術館

Q 65 バロック期に、風景画、静物画、肖像画などわかりやすく身近なものを題材とした絵画が発達したのはどこですか。

① イタリア　② スペイン
③ オランダ　④ フランドル

Q 66 下図のようなろうそくの光に照らし出された宗教画で知られる、17世紀のフランスの画家はだれですか。

① ラタトゥイユ　② アンリ・ファンタン・ラトゥール
③ ラ・トゥール・ジャルダン　④ ジョルジュ・ド・ラ・トゥール

Q 67 1648年にフランスで設立された王立絵画・彫刻アカデミーで芸術の基準とされた、下図を描いた画家はだれですか。

① ラファエロ　② プッサン
③ ルーベンス　④ レンブラント

Q 68 ロココ美術の特徴を説明しているものはどれですか。

① ヴェルサイユ宮殿に代表される、壮大で調和の取れた構成が特徴的である。
② 金工、服飾、陶磁器など、華麗な工芸装飾が花開いた。
③ 知性と理性、秩序を重んじる絵画が規範とされた。
④ 庶民的で親しみやすく、感覚的な要素を重んじた。

Q 69 《食前の祈り》をはじめ、庶民の生活や静物を主要なテーマとした、ロココ期の画家はだれですか。

① ヴァトー　② モーリス＝カンタン・ド・ラ・トゥール
③ フラゴナール　④ シャルダン

▶Q66

▶Q67

Q65 ③

ネーデルラントは16世紀にスペイン領となりましたが、16世紀末にプロテスタント勢力の強い北部がネーデルラント連邦共和国（オランダ）として独立します。それまでのパトロンは教会と王侯貴族で、歴史画の注文制作が普通でした。一方、17世紀のオランダでは市民がパトロンとなったため、彼らに親しみやすい作品として、風景画、風俗画、静物画が注目されることになりました。

Q66 ④

ジョルジュ・ド・ラ・トゥールの没後、その作品は作者不詳のままフランス各地に保管されていました。文献に残されていた画家の名と結びつけられるようになったのは20世紀に入ってからのことでした。

Q67 ②

プッサンは17世紀のフランス絵画を代表する画家のひとりです。バロック全盛期に活躍しましたが、バロック的な激しい感情や劇的な明暗表現を抑え、厳格な古典主義的様式を採り入れることで、古代ローマの美術を理想とする洗練された優雅さを追究しました。王立アカデミーにおいては、古代やラファエロと並んで芸術の規範とされました。

Q68 ②

18世紀ルイ15世統治下のフランスを中心に、欧州各地を席巻したロココ美術。室内装飾から建築や絵画、工芸、彫刻などに波及し、前時代の荘厳な芸術文化の反動として軽妙で優美な装飾が流行しました。この頃から、貴族のみならず、市民階級がパトロンとして芸術を支えるようになりました。17世紀半ばにルイ14世により本格的な建築が始められたヴェルサイユ宮殿は、バロック的特徴を備えています。

Q69 ④

シャルダンはロココ期フランスの画家ですが、宮廷や貴族たちの華やかな光景でなく、《赤エイ》などの静物画や、《食前の祈り》のような市民の日常生活の一場面などをおもなテーマとしました。フランス的な優雅さとオランダ絵画の影響を受けた写実性をそなえた、静かな雰囲気をたたえた作品を多く描きました。

画集や
美術館サイトで
作品をチェック！

▶Q66
ジョルジュ・ド・ラ・トゥール
《大工聖ヨセフ》
1640頃
油彩・キャンヴァス　137×102cm
ルーヴル美術館、パリ

▶Q67
ニコラ・プッサン
《アルカディアの牧人たち》
1638－40頃
油彩・キャンヴァス　85×121cm
ルーヴル美術館、パリ

Q70 18世紀フランスで「雅宴画」を確立し、ロココ絵画の代表画家とされるのはだれですか。

① ヴァトー　② フラゴナール
③ コロー　④ ブーシェ

Q71 18世紀イギリスの画家、ゲインズバラについての説明はどれですか。

① ヴェネツィアの街や運河の景観を描いた。
② 連作《放蕩息子の遍歴》など、物語的教訓画を得意とした。
③ イギリスで創設されたロイヤル・アカデミーの初代会長になった。
④ 自然を背景に人物を配した田園風肖像画で人気を博した。

Q72 18世紀に流行したグランド・ツアーでは、下図のような景色も注目されました。下図の作者はだれですか。

① カナレット　② ライスダール
③ ヴァトー　④ クロード・ロラン

Q73 下図を描いたスペインの画家、ゴヤについての説明はどれですか。

① フェリペ4世の宮廷画家となり、マルガリータ王女の肖像画を描いた。
② 画僧として、静かで神秘的な静物画や宗教画を描いた。
③ スペインのラファエロと呼ばれる一方、庶民の姿を生き生きと描いた。
④ 別荘《聾者の家》の壁に、連作《黒い絵》を描いた。

Q74 ロココ期のイタリアで美術の中心となっていた都市はどこですか。

① ローマ　② フィレンツェ
③ ヴェネツィア　④ ミラノ

▶Q72

▶Q73

Q70 ①

ヴァトーは、雅宴画を確立してロココ絵画の始祖となりました。彼の死後、ルイ15世時代を代表する画家がブーシェです。ポンパドゥール夫人に庇護されて、さまざまな分野で才能を発揮しました。ロココ盛期から末期にかけて活躍したフラゴナールは、甘美で官能的、時には挑発的ともいえる風俗画を得意としました。コローは、19世紀に活躍したバルビゾン派の画家です。

Q71 ④

ゲインズバラは、田園肖像画や流行服をまとった人物の肖像画で注目を浴びた画家。イギリスでは、17世紀末から18世紀の富裕階級の子弟による大陸旅行（グランド・ツアー）にともなう絵画の輸入や、1768年のロイヤル・アカデミーの創設などにより絵画の質が向上します。ただし、人気があったのは歴史画ではなく風景画や肖像画でした。アカデミーの初代会長のレノルズは、歴史的な見立てによる肖像画を描きました。

Q72 ①

イギリスでは17世紀末〜18世紀に、富裕階級の子弟が古典的教養教育の総仕上げとしてヨーロッパを旅行しました。これをグランド・ツアーといいます。彼らの最終目的地はローマで、そこで古代の文化を学びました。彼らは旅先でさまざまな美術作品も収集します。その中には、カナレットらが描いた都市景観図も含まれていました。カナレットはヴェネツィア出身の画家で、故郷の街の姿を生き生きと再現しました。

Q73 ④

ゴヤは、フランス革命や啓蒙主義者、自由主義者との交流で批判精神を高めた頃の1792年、聴覚を失います。それから内省的になり、カルロス4世の主席宮廷画家の地位も捨てて、戦争や圧政に虐げられる民衆や社会の不条理に目を向ける作品を多く描いていきます。それらの作品は、ドラクロワやマネをはじめ、近代の画家たちに多大なる影響を与えました。

Q74 ③

18世紀のイタリアでは、絵画が盛んになりました。ヴェネツィアで活躍した主要な画家には、室内を装飾する歴史画で名高いティエーポロや、風景画家として成功したカナレット、風俗画を得意としたロンギらがいます。ローマでは、ピラネージが都市の景観や廃墟の風景を描いて人気を博しました。

画集や美術館サイトで作品をチェック！

▶Q72
カナレット
《サン・マルコ広場とその周辺》
1736/38頃
油彩・キャンヴァス　69.1×94.5cm
アルテ・ピナコテーク、ミュンヘン

▶Q73
フランシスコ・デ・ゴヤ・イ・ルシエンテス
《マドリード、1808年5月3日》
1814
油彩・キャンヴァス　268×347cm
プラド美術館、マドリード

07 近代美術1（新古典主義・ロマン主義）

Q75 次のうちから新古典主義に関する説明を選んでください。

① ピクチャレスクという考え方が用いられ、多くの風景画が描かれた。
② 感覚を重んじ、華麗で繊細な作品が多く制作された。
③ 古代ギリシア・ローマの理想美を規範とし、理性を重んじた。
④ ウジェーヌ・ドラクロワが代表的な画家の1人である。

Q76 下図はジャック＝ルイ・ダヴィッドが1787年に描いた作品ですが、その題名はどれですか。

① 《ヘラクレスの死》 ② 《マラーの死》
③ 《ナポレオンの死》 ④ 《ソクラテスの死》

Q77 アングルが描いた、オリエント風の横たわる裸婦像のタイトルはなんですか。

① 《エステルの化粧》 ② 《ヴィーナスの化粧》
③ 《トルコ風呂》 ④ 《グランド・オダリスク》

Q78 下図の中央の女性はある理念を表していますが、それはなんでしょうか。

① 自由 ② 希望
③ 平和 ④ 勝利

▶Q76

▶Q78

Q75 ③

18世紀末のヨーロッパでは、フランス革命による市民の権力奪還と同様に、美術においても宮廷を中心とした華麗で繊細なロココ美術に代わり、たくましく厳しい古代ローマ文化を手本とした新古典主義が生まれました。この様式が誕生した背景には、ポンペイ遺跡の発掘をはじめ、古代のギリシア・ローマ美術全般の研究が盛んになったこともありました。

Q76 ④

新古典主義の代表的な画家ダヴィッドは、1774年にローマ賞コンクールで入賞し、イタリアでラファエロや古代の歴史、文化に接触しました。その研究の成果として《ホラティウス兄弟の誓い》などを描き、新古典主義の指導的存在として、フランスを越えて広く認められるようになりました。《ソクラテスの死》は、古代ギリシアの偉大な哲学者ソクラテスが牢獄で威厳ある死を遂げた、最後の日を描いています。道徳的な自己犠牲が主題です。

Q77 ④

アングルは色彩に対する線の優位、静的な構図という点で新古典主義の美しい描写を追求しました。しかし、掲載作品では、人体は古典主義的な理想美よりも、個人的な美意識に従って形作られています。彼はこの作品や《トルコ風呂》のようにオリエントを題材にするなど、主題の選択や個人の感情を重んじる点でロマン主義的な気質もありました。この折衷的な特徴は19世紀前半のアカデミズム絵画全般に見られます。

Q78 ①

1830年7月、フランスではシャルル10世が、その政策に不満をつのらせた市民によって退位させられるという「七月革命」が起こりました。本作品はこの出来事を題材にしています。

画集や美術館サイトで作品をチェック!

▶Q76
ジャック=ルイ・ダヴィッド《ソクラテスの死》
1787
油彩・キャンヴァス　129.5×196.2cm
メトロポリタン美術館、ニューヨーク

▶Q78
ウジェーヌ・ドラクロワ《民衆を導く自由の女神》
1831サロン出品
油彩・キャンヴァス　260×325cm
ルーヴル美術館、パリ

Q79 ドイツ・ロマン主義の画家フリードリヒの厳しい北の海の情景を描いた作品のタイトルはどれですか。

① 《北極海の難破船》　② 《メデューズ号の筏》
③ 《キオス島の虐殺》　④ 《吹雪、港口を離れた汽船》

Q80 下図の風景画はだれの作品ですか。

① クロード・ロラン　② ターナー
③ フリードリヒ　④ カナレット

Q81 下図の風景画はだれの作品ですか。

① ターナー　② ライスダール
③ コンスタブル　④ ゲインズバラ

Q82 自作の詩に挿絵入り彩色版画の技法を開発し、幻想的な作品を数多く作った、イギリス・ロマン派の画家はだれですか。

① フュースリ　② ターナー
③ ブレイク　④ コンスタブル

Q83 古典的なモチーフの白いレリーフをあしらったジャスパーウェアという陶器を生み出した、イギリスの工場はどこでしょう。

① ウェッジウッド　② ミントン
③ フッチェンロイター　④ ロイヤル・コペンハーゲン

▶Q80

▶Q81

Q79 ①

《北極海の難破船》では、凍った海とそれに押し潰された船が「崩壊」の記号として機能しています。当時「風景の悲劇」を発見した者と評された、ドイツ・ロマン主義のフリードリヒの風景画では、自然の中に、無限の感情と、宗教的な帰依の対象をも見ようとするところに特徴があります。

Q80 ②

グランド・ツアーによって輸入された作品の中で、イギリスの画家たちに多大な影響を与えたのが、クロード・ロランの風景画です。イギリス・ロマン主義を代表するターナーやコンスタブルもその影響を受け、さらにそれを乗り越えようとしました。ターナーは、18世紀に流行した、特定の場所の景観を表した地誌的水彩画・油彩画と、ロランのように風景を神話や歴史の舞台として描く歴史的風景画とを描きました。

Q81 ③

イギリス内外を旅行したターナーと違い、コンスタブルは故郷のイースト・バーゴルトやソールズベリーなど、ごく限られた地域の風景を描き続けました。コンスタブルは、自然を見て率直に表現することによって19世紀風景画の方向を定め、印象派の画家たちにも大きな影響を与えました。

Q82 ③

詩人であり画家であったウィリアム・ブレイクは、超越的な想像力で神秘的な作品を数多く制作しました。自作の詩に挿絵を付ける彩色版画の技法を開発し、文学と絵画とが一体化した独特の世界を構築します。ロマン主義（ことに中世の伝説や超常的な題材を好むイギリスのロマン主義）や、幻想絵画の先駆者と評されますが、その芸術が正当に評価されるようになったのは、20世紀になってからのことです。

Q83 ①

1759年に設立されたイギリスのジョサイア・ウェッジウッドの陶器工場が、工芸における新古典主義の普及に貢献しました。ジョン・フラックスマンらのデザイナーを起用し、古代品の図集からモチーフを採り入れて浮き彫りを施された壺、皿、装飾用陶板が特徴的です。これらがある程度システム化された生産と流通によって市場に出回り、新古典主義的な美意識が広まったのです。

画集や
美術館サイトで
作品をチェック！

▶Q80
ジョゼフ・マロード・ウィリアム・ターナー
《カルタゴを建設するディド》
1815
油彩・キャンヴァス　155.5×230cm
ナショナル・ギャラリー、ロンドン

▶Q81
ジョン・コンスタブル
《乾草車》
1821
油彩・キャンヴァス　130.2×185.4cm
ナショナル・ギャラリー、ロンドン

08 近代美術2（写実主義・印象主義・ポスト印象主義）

Q84 フォンテーヌブローの森で写生した画家の1人で、晩年には銀灰色を主調とする風景画を描いたのはだれですか。

① テオドール・ルソー　② ドービニー
③ ミレー　④ コロー

Q85 下図はだれの作品ですか。

① ミレー　② テオドール・ルソー
③ ボヌール　④ ジュール・デュプレ

Q86 下図を描いた画家が1855年の個展で展示した代表作はなんですか。

①《画家のアトリエ》　②《オランピア》
③《種をまく人》　④《印象、日の出》

Q87 マネの《草上の昼食》が出品されたことで有名な1863年の展覧会はどれですか。

① サロン　② サロン・ドートンヌ
③ 落選展　④ アンデパンダン展

▶Q85

▶Q86

Q84 ④

コローはミシャロンとベルタンのもとで歴史的風景画の制作を学びます。1820年代からフォンテーヌブローの森やイタリアなどにも出かけ、春と夏に旅行先で写生をしました。彼は着実な自然観察で描いたスケッチをもとに、秋から冬にパリのアトリエで、サロン出品に向けて大画面の風景画に取りかかるという制作方法をとっています。

Q85 ①

1848年の二月革命の混乱後、パリからバルビゾン村に移り住んだのはルソーやミレーたちです。ルソーらは写生に基づく風景画を中心に描き、ミレーは労働する名もない農民たちを英雄的に描きました。このバルビゾン派の画家たちは、産業革命以前の自然と農村を理想の世界と考えたのです。彼らの作品は、都市生活に疲れたパリの人々に次第に受け入れられていきました。

Q86 ①

1855年のパリ万国博覧会の美術展への抗議として開催したクールベの個展には、《画家のアトリエ—私の芸術的生涯の7年にわたる一位相を確定する現実的寓意画》や《オルナンにおける埋葬の歴史画》など40点の作品が出品されました。前者では、社会のさまざまな動きを示す多くの寓意像が描かれています。上記の大作は、タイトルに「寓意画」「歴史画」と付く作品でありながら、そのジャンルの伝統的な約束事を無視する内容で、しかも社会的な階層秩序を侵犯するものでもあったのです。

Q87 ③

「落選展」とは、1863年に皇帝ナポレオン3世が、サロンに落選した作家たちの作品を集めて開催した展覧会です。当時、作品を展示できる唯一の場はサロンでした。そのため、同皇帝は、落選した作家に作品発表の機会を与えたのです。落選展は、厳密にアカデミズムの基準に従わない作品でも公衆の眼前に展示することを可能にした点で、のちの印象派の展覧会開催に大きな示唆を与えました。

画集や美術館サイトで作品をチェック！

▶Q85
ジャン＝フランソワ・ミレー
《落穂拾い》
1857
油彩・キャンヴァス　83.5×110cm
オルセー美術館、パリ

▶Q86
ギュスターヴ・クールベ
《石割り人夫》
1849－50
油彩・キャンヴァス　165×257cm
ドレスデン国立美術館旧蔵（1945焼失）

Q88 1865年のサロンに入選するも、美術界にスキャンダルを引き起こした作品はどれでしょう。

① アングル《グランド・オダリスク》 ② マネ《オランピア》
③ カバネル《ヴィーナスの誕生》 ④ ブーグロー《ヴィーナスの誕生》

Q89 オルセー美術館にある、Q88の画家の描いた文筆家の肖像はだれのものでしたか。

① ゾラ ② ボードレール
③ ユゴー ④ シャンフルーリ

Q90 《ジヴェルニー付近の夕陽を浴びる積み藁》(ボストン美術館蔵)の作者はだれですか。

① モネ ② ゴッホ
③ スーラ ④ コロー

Q91 下図のモネの作品の題名にある大通りの名前はなんでしょう。

① サンジェルマン大通り ② カピュシーヌ大通り
③ オスマン大通り ④ シャンゼリゼ大通り

Q92 下図の作者はだれですか。

① ルノワール ② ベルト・モリゾ
③ メアリー・カサット ④ ドガ

▶Q91

▶Q92

Q88 ②

《オランピア》(1863)が当時スキャンダルとなったのは、この作品が娼婦を描いたものであったからでした。それまで裸婦は神話の女神などといった、現実の世界とは関係ない「物語」の中の存在として描かれることが求められていました。しかし、マネは1863年の落選展に出品した《草上の昼食》と同様、現実の場面に現実の女性の裸体を描いたために、この「決まりごと」を破ったことになり、不道徳と見なされたのです。

Q89 ①

この作品ではゾラの姿以外にもさまざまなモチーフが描かれています。画面右上方にはベラスケスの《酔っぱらいたち》の版画、マネの《オランピア》の版画または写真、そして日本の浮世絵を確認することができます。マネのアトリエにはゾラのような文学者のほか、1860年代半ば頃から、新進気鋭の画家たちが集まります。そのうちの何人かは1874年にグループ展を開き、のちに印象派の画家と呼ばれるようになりました。

Q90 ①

モネはさまざまに変化する光を表現するため、特定の対象を繰り返し描くことを行いました。積み藁はその対象となったものの1つで、このほかには睡蓮、ポプラ並木、ルーアン大聖堂を描いた連作も知られています。

Q91 ②

印象派の都市風景画には、高所からの都市の眺めが描かれています。これは、19世紀後半には新しい娯楽だった、高所からの眺望を反映したものです。この作品は1873年に描かれ、翌年の「第1回印象派展」に出品されました。画面は大通りの賑わいを見下ろすように描かれ、モネは右端の通りを眺める男たちによって視点を示しました。ここでは対象を遠くから知覚する近代都市ならではの視覚性が採り入れられているのです。

Q92 ③

この作品では、手前にオペラを熱心に見る黒衣の女性と、彼女の席のずっと奥で、舞台ではなく、彼女をオペラグラスで覗いている男性客が対比されています。例えば、ルノワールの《桟敷席》では、美しく着飾った女性は男性から見られる対象として描かれます。しかし、カサットの場合は、知的な目的をもって「見る」主体は女性であり、男性の「見る」行為がアイロニカルに告発されています。

画集や
美術館サイトで
作品をチェック!

▶Q91
クロード・モネ
《カピュシーヌ大通り》
1873
油彩・キャンヴァス　61×80cm
プーシキン美術館、モスクワ

▶Q92
メアリー・カサット
《オペラ座の黒衣の女(桟敷席にて)》
1878
油彩・キャンヴァス　81.3×66cm
ボストン美術館

Q 93 下図はだれの作品ですか。

① ドガ　② カイユボット
③ ルノワール　④ ドーミエ

Q 94 下図は印象派のある画家の作品《エラニーの牛を追う娘》です。作者はだれですか。

① モネ　② ピサロ
③ スーラ　④ シスレー

Q 95 点描画を開発したスーラやシニャックらによる美術運動をなんといいますか。

① 総合主義　② ポスト印象主義
③ 新印象主義　④ 象徴主義

Q 96 セザンヌが強い影響を与えることになる、20世紀初頭の美術運動はどれでしょう。

① フォーヴィスム　② ブリュッケ
③ 青騎士　④ キュビスム

Q 97 ポール・ゴーガンと関係のある項目はどれですか。

① ポン＝タヴェン派　② 新印象主義
③ ラファエル前派　④ エクス＝アン＝プロヴァンス

▶Q93

▶Q94

Q93 ①

体を洗い、拭い、髪を梳く女性たちを描いたドガの「入浴」図は、1880年代から取り組まれたシリーズです。伝統的な裸婦像は、女性の性的魅力を鼓舞するように描かれるのが一般的でした。ドガは、「身繕いすること以外には何事にも無関心」な自然体の裸婦像を描くことにより、この伝統を批判しました。このような女性の扱いは、ルノワールの、幸福そうに理想化された裸婦像とも著しい対照をなしています。

Q94 ②

ピサロは1884年にパリ郊外のエラニーに移住します。農家で働く若い女性は彼の重要な主題でした。彼はミレーのようにそれを理想化せず、現実の観察に基づいて描こうとしました。全体が一定の緻密な筆触で描かれることで、画面に統一感が生まれています。翌年からピサロはシニャックやスーラと交流を深め、その規則正しい筆触は点描表現へと変化します。

Q95 ③

新印象主義の画家たちは、印象派の色彩技法を科学的に推進しました。彼らは色彩理論から、色彩対比の原理や補色の関係を学び、絵具をパレット上で混合すると明度が減ずることに気づきます。そこで、小さい色の斑点を規則的に並べ（色調分割）、一定の距離を置くと、配置された色の斑点が観者の網膜上で混じり合うこと（視覚混合）を利用し、明るい画面を作り出しました。その技法が点描技法です。

Q96 ④

セザンヌは印象派のように目に見えるものを自らの感覚に従って描きつつ、構図の研究や抽象化への実験を重ね、独自の画面構成を創出しました。ピカソやブラックなど、のちにキュビスムを牽引する作家たちに強い影響を与えています。フォーヴィスムはフランスで、ブリュッケと青騎士はドイツで、同時期に結成された表現主義絵画の運動です。

Q97 ①

ポン＝タヴェン派は、ブルターニュの村ポン＝タヴェンに集まった、ゴーガンを中心とするベルナールやセリュジエらによるグループ。明確な輪郭線と単純化された形態、鮮やかな色彩によって画面を構成しました。彼らは総合主義という理論を編み出し、印象主義に対抗します。また、ゴーガンに学んだ若い画家たちがパリで結成したグループは、ナビ派と呼ばれました。セリュジエ、ドニ、ヴュイヤール、ボナールなどがいます。

画集や美術館サイトで作品をチェック！

▶Q93
エドガー・ドガ
《浴槽の裸婦》
1883頃
パステル・モノタイプ・紙　31×28cm
姫路市立美術館（国富奎三コレクション）、兵庫

▶Q94
カミーユ・ピサロ
《エラニーの牛を追う娘》
1884
油彩・キャンバス　59.7×73.3cm
埼玉県立近代美術館

Q98 ゴーガンが後半生に移住した島はどこですか。

① アッツ島　② オアフ島
③ レイテ島　④ タヒチ島

Q99 下図の絵の作者はだれですか。

① セザンヌ　② ゴーガン
③ ゴッホ　④ ベルナール

Q100 1851年のロンドン万国博覧会についての説明としてふさわしいものはどれですか。

① 美術展も同時に開催された、最初の万国博覧会。
② 日本政府が初めて参加し、ジャポニスムブームの発端となった。
③ 産業革命の先駆の国イギリスで催された、世界で最初の万国博覧会。
④ 新しい芸術運動を促し、同時に第1回世界デザイン会議を催した。

Q101 国立西洋美術館にもあるダンテの『神曲』に基づいて造られたロダンの大作はなんでしょうか。

①《地獄の門》　②《天国の扉》
③《社会の窓》　④《恍惚の人》

Q102 マイヨールが制作した下図のタイトルはなんですか。

①《考える人》　②《地中海》
③《接吻》　④《カレーの市民》

▶Q99

▶Q102

Q98 ④

ゴーガンは、タヒチ島でその大自然とともに、生命感あふれる女性の姿に魅了されました。タヒチ滞在中に描かれた《かぐわしき大地》などでは、豊かな自然とともに女性の力強い肉体が主役となっています。

Q99 ③

37歳でピストル自殺をしたゴッホが、画家として活動した期間はそう長くはありません。しかし、1888年春にアルルに行ってから、燃えるような色彩表現とうねるような筆致のゴッホ独自の画風を編み出しました。ゴッホはアルルに芸術家たちの理想郷を作ろうと、さまざまな人たちに声をかけますが、実際にやってきたのはゴーガン1人でした。この共同生活は、ゴッホが自らの耳を切り落とす事件をもって幕を閉じます。

Q100 ③

最初の万国博覧会(国際博覧会)は1851年にロンドンで開かれ、その後フランスなど各国で開催されるようになりました。機械的工業製品が重視された第1回ロンドン万博では工業デザインは軽んじられ、この状況を嘆いたウィリアム・モリスはモリス・マーシャル・フォークナー商会を設立。のちのアーツ・アンド・クラフツ運動へとつながっていきました。

Q101 ①

ロダンの代表作の1つ《考える人》は《地獄の門》の一部を単独像として独立させたもの。背中をひねっているこのポーズには、《ベルヴェデーレのトルソ》やミケランジェロの作品を研究した成果が反映されています。19世紀後半から20世紀初頭にかけて活躍したロダンは、様式、素材、支持体の多様性と、現実の人間の感情といった対象や主題への取り組みの自由さ、配置法の多彩さという点で、近代彫刻をリードする存在になりました。

Q102 ②

《地中海》の作者であるマイヨールは、初めは画家として活躍し、その後目の病によって彫刻家に転身しました。ギリシアのアルカイック期の彫刻に影響を受け、量感と安定感を持った女性像を多く制作しています。なお、《地中海》は1905年のサロン・ドートンヌに出品された作品です。

画集や美術館サイトで作品をチェック!

▶Q99
フィンセント・ファン・ゴッホ《糸杉のある麦畑》
1889
油彩・キャンバス　72.1×90.9cm
ナショナル・ギャラリー、ロンドン

▶Q102
アリスティド・マイヨール《地中海》
1902－05(原型)
ブロンズ　高さ104cm
テュイルリー公園、パリ

近代美術3（象徴主義・世紀末）

Q103 下図を描いた、19世紀イギリスのロセッティらが結成した「ラファエル前派」の説明として、最もふさわしい説明はどれですか。

① ラファエロ以前の芸術を偽善的なキリスト教精神の権化と批判し、あえて卑俗な女性像を描いた。
② ラファエロ以前の芸術を理想とし、それ以後の絵画が失った崇高な精神性を取り戻そうとした。
③ ラファエロ以前の芸術に倣って、教会や大学など公共建築の壁画を盛んに描いた。
④ ラファエロ以前の芸術に憧れ、その忠実な複製作品を作ることを使命とした。

Q104 ミレイが描いた《オフィーリア》は、シェークスピアのどの戯曲から題材を得ているでしょう。

①『ロミオとジュリエット』　②『真夏の夜の夢』
③『ハムレット』　④『マクベス』

Q105 下図などを描き、弟子の中からマティスやルオーなどフォーヴィスムの担い手を生んだ画家はだれですか。

① シャヴァンヌ　② モロー
③ ルドン　④ ゴーガン

Q106 ヴィクトリア朝時代のイギリスから始まったアーツ・アンド・クラフツ運動総体に影響を与えなかった人は、次のうちだれでしょうか。

① ピュージン　② ラスキン
③ タルボット　④ モリス

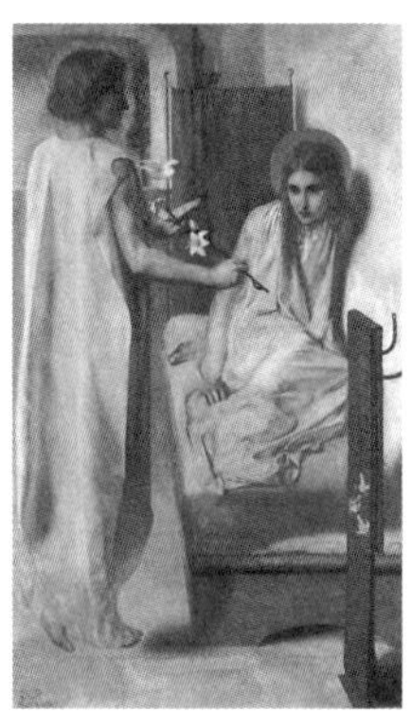

▶Q103

▶Q105

Q103 ②

「ラファエル前派」は、ラファエロ以後の西洋絵画を頽廃と見なし、それ以前の初期ルネサンスやフランドル美術を規範としました。長い間忘れ去られていたボッティチェリを「再発見」したのも彼らでした。

Q104 ③

ミレイの《オフィーリア》は、シェークスピアの『ハムレット』の登場人物オフィーリアが、父親をハムレットに殺されて発狂し川で溺死する場面を描いたものです。この作品を制作する際、ミレイはモデルを浴槽に入れてポーズをとらせたといわれています。

Q105 ②

象徴主義の代表格でもあるフランスの画家ギュスターヴ・モローは、神話や中世の伝説をモチーフに、神秘的な世界を表現する作家です。1892年よりエコール・デ・ボザールの教授となります。彼の教え子の中には、マティスやルオー、マルケなどがいました。

Q106 ③

アーツ・アンド・クラフツ運動は、19世紀、産業革命まっただ中のイギリスで、機械による安易な大量生産に異議を唱え、手仕事による「ものづくり」の見直しを提唱した動きです。この運動によって装飾芸術の新たな地平が拓かれました。③のイギリス人タルボットは、カロタイプと呼ばれるネガ・ポジ法による写真技法を発明しました。複製を可能にし、写真を飛躍的に発展させた人物として知られます。

画集や美術館サイトで作品をチェック！

▶Q103
ダンテ・ゲイブリエル・ロセッティ《受胎告知》
1849－50
油彩・キャンヴァス　72.4×41.9cm
テート・ブリテン、ロンドン

▶Q105
ギュスターヴ・モロー《出現》
1875頃（不詳）
油彩・キャンヴァス　142×103cm
ギュスターヴ・モロー美術館、パリ

Q107 ビアズリーが挿絵を描いた戯曲『サロメ』の作者はだれですか。

① オスカー・ワイルド ② アルフレッド・テニスン
③ シャルル・ボードレール ④ アルチュール・ランボー

Q108 ポスター《ディヴァン・ジャポネ》や《ムーラン・ルージュ》の作者はだれですか。

① ミュシャ ② トゥルーズ＝ロートレック
③ ビアズリー ④ シェレ

Q109 エミール・ガレは、次のうちのどの動向を代表する工芸家ですか。

① アール・デコ ② アール・ヌーヴォー
③ ジャポニスム ④ ピュリスム

Q110 ムンクが描いた下図の説明として、最もふさわしいものはどれですか。

① 歩行中に恐怖にかられた本人が、友人に向けて大声を出している。
② 歩行中に恐怖にかられた友人が、ムンクを大声で呼んでいる。
③ 自然を貫く叫び声を恐れて耳をふさぎ、自らも叫び出しそうになっている。
④ 自然を貫く叫び声に恐怖を感じ、それらを吸い込もうとして口を開けている。

Q111 ウィーン分離派やクリムトの影響を受けた下図の作者はだれでしょう。

① シーレ ② ココシュカ
③ クビーン ④ マルク

▶Q110

▶Q111

Q107 ①

ビアズリーは、19世紀末ヨーロッパの挿絵を語るうえで重要な人物です。この時代はまだ黒一色刷りが一般的で、黒と白のコントラストが重要でした。ビアズリーは繊細な曲線と大胆な黒面の使い方でその効果を最大限に引き出します。この形式と、『サロメ』についての彼のセンセーショナルな解釈は、ヨーロッパの象徴主義の画家たちに多大な影響を与えました。

Q108 ②

トゥルーズ＝ロートレックは、モンマルトルのキャバレーの常連となって娼婦や踊り子の姿を描きました。ポスター画家としても人気を集め、浮世絵の研究などによる大胆な構図は当時から高い評価を受けていました。

Q109 ②

アール・ヌーヴォーは19世紀末フランスを中心に広まった新しい装飾美術の傾向で、滑らかな曲線による有機的なフォルムやジャポニスムの影響などの特徴があります。中でもガレはガラス工芸を代表する芸術家として有名です。また、のちにアール・デコの代表的なガラス工芸家として名を馳せるルネ・ラリックは、アール・ヌーヴォーのジュエリー・デザイナーとして注目されていました。

Q110 ③

ノルウェーの画家エドヴァルト・ムンクは、19世紀末から20世紀初頭にドイツで活動、ドイツ美術界に大きな影響を与えます。彼は、生・死・愛・憂愁・恐怖などの内面的な主題を劇的に表現しました。1892年にベルリン芸術家協会主催のムンク展が開かれますが、写実主義的・印象主義的な協会の中に物議をかもし、中止に追い込まれます。

Q111 ②

ウィーン分離派は1897年にクリムトを中心に結成されます。メンバーには画家や彫刻家のほかに、建築家オットー・ワーグナーの弟子ヨーゼフ・マリア・オルブリヒとヨーゼフ・ホフマンが加わりました。オスカー・ココシュカはウィーン工芸学校で学び、ウィーン分離派の文化的環境から影響を受けて作家となりました。その荒々しく不安を掻き立てるような作品は、エゴン・シーレの作品とも通じるところがあります。

画集や美術館サイトで作品をチェック！

▶Q110
エドヴァルト・ムンク
《叫び》
1893
テンペラ・クレヨン・厚紙　91×73.5cm
オスロ国立美術館

▶Q111
オスカー・ココシュカ
《自画像》
1917
油彩・キャンヴァス　79×62cm
フォン・デア・ハイト美術館、ヴッパタール

10 20世紀と現代の美術1（1900～1945）

Q112

フォーヴィスムという言葉はフランス語の「フォーヴ」に由来しますが、その意味はなんでしょうか。

① 野獣　② 四人
③ 四角　④ 無作法

Q113

下図は、1905年にドイツで結成されたグループ「ブリュッケ」の代表的な画家による作品です。その画家はだれですか。

① シュミット＝ロットルフ　② ノルデ
③ キルヒナー　④ ペヒシュタイン

Q114

カンディンスキーと一緒に『青騎士』年鑑の編集に携わり、動物の絵を好んで描いたドイツの作家はだれですか。

① クレー　② マルク
③ マッケ　④ ミュンター

Q115

「青騎士」にも参加し、下図を描いたのはだれですか。

① カンディンスキー　② クレー
③ マルク　④ ヤウレンスキー

▶Q113

▶Q115

Q112 ①

1905年、パリで開催されたサロン・ドートンヌの一室で、激しい色彩を持った絵画とルネサンス風の彫刻がともに展示されているのをみて、「まるで野獣（フォーヴ）に囲まれたドナテッロのようだ」と評した批評家がいました。これがフォーヴィスムの名称の由来です。

Q113 ③

キルヒナーはブルジョワ的な価値観を批判する、都会の風景を多く描いています。着飾った人々の群れを、攻撃的に垂直性が強調された身体や強烈な色彩対比で風刺的に描きました。また、第一次世界大戦後はアルプスの山岳風景を多く描いています。1937年、ナチスにより頽廃芸術家としてドイツの美術館から作品が撤去されると、翌年、彼は自ら命を絶ちました。

Q114 ②

マルクはカンディンスキー、ミュンター、マッケらと1911年から「青騎士」の展覧会活動を始め、またカンディンスキーと年鑑の編集を行います。初めは動物を好んで描いていましたが、「青騎士」の活動を通じて未来派やオルフィスムと出会い、次第に抽象的な作品へと展開していきます。第一次世界大戦が勃発するとドイツ兵として前線に赴き、1916年に36歳の若さで戦死しました。

Q115 ②

スイスのベルンにドイツ人として生まれたクレーは、画家としてミュンヘンで活動し、「青騎士」の作家たちと知り合います。初めは風刺的な線描画を描いていましたが、「青騎士」やドローネーなどの活動に触れ、次第に抽象的な作品を透明感のある色彩で描くようになります。そのようなクレーにとって1914年のチュニジア旅行は、色彩的にも主題的にも芸術の発展に重要な指標を与えることになりました。

画集や
美術館サイトで
作品をチェック！

▶Q113
エルンスト・ルートヴィヒ・キルヒナー
《街の五人の女》
1913
油彩・キャンヴァス　120×90cm
ルートヴィヒ美術館、ケルン

▶Q115
パウル・クレー
《マルクの庭の熱風》
1915
水彩・厚紙に貼った紙　32.3×22.5cm
レンバッハハウス美術館、ミュンヘン

Q116 下図の作者はだれですか。

① ピカソ　② マティス
③ ヴラマンク　④ キルヒナー

Q117 次の原始・古代美術のうち、下図に影響を与えたとされるのはどれでしょう。

① 古代メキシコ文明の人面　② イースター島の巨石像モアイ
③ アフリカの仮面彫刻　④ 日本の縄文時代の土偶

Q118 ピカソの作品に関する説明のうち、1937年に描かれた《ゲルニカ》にあてはまるのはどれですか。

① 悲しみや絶望を抱えた人々を、青を中心とした暗い色調で叙情的に描いた。
② 過去の巨匠たちの絵画を大胆にアレンジして、新たな作品を作り出した。
③「新古典主義」といわれる写実的なスタイルで、量感のある人物像を描いた。
④ 強くゆがめられたモチーフと緊迫感のある構成で、戦争の悲惨さを表した。

Q119 1909年イタリアで詩人のマリネッティを中心に結成され、機械文明のダイナミズムとスピード感を賛美した運動はなんと呼ばれますか。

① 野獣派　② 機械派
③ 未来派　④ 速度派

Q120 1913年の展覧会「アーモリー・ショー」でスキャンダルになった作品はどれですか。

① ピカソ《ゲルニカ》　② デュシャン《階段を降りる裸体 No.2》
③ ダリ《内乱の予感》　④ マネ《オランピア》

▶Q116

▶Q117

Q116 ②

フランスの画家マティスは、モローのもとで絵画を勉強した後、1905年に発表した作品によってフォーヴィスムの代表的な画家となりました。この作品《ダンスI》は、《音楽》と一緒にモスクワの豪商シチューキンに注文されたものの習作です。晩年には切り紙絵による作品も多く制作しています。

Q117 ③

ピカソはブラックとともにキュビスムを生み出した画家です。《アヴィニョンの娘たち》にはその人体や顔の様子に、アフリカの彫刻やイベリア半島の原始的な彫刻の影響が指摘されています。

Q118 ④

ゲルニカはスペイン北部にある町の名。1937年、スペインの内戦の折に、この町がドイツ軍によって爆撃されたことへの抗議として制作されたのが本作品です。幅8メートル近い巨大な作品を、ピカソはわずか1カ月で完成させました。

Q119 ③

イタリアの詩人マリネッティは、1909年、フランスの新聞『フィガロ』に「未来派宣言」を載せます。彼に賛同するイタリアの画家ボッチョーニ、バッラ、ルッソロ、カッラ、セヴェリーニらによって未来派が結成されました。速度の美を求める彼らの作品では、運動する対象が、時間の経過を示すように連続して描写されるのが特徴的です。

Q120 ②

デュシャンの《階段を降りる裸体 No.2》(1912)は、ジュール・マレやマイブリッジの運動する人体の連続写真をヒントに、機械状の人体が時間的な変化を示すように連続して描かれたものです。キュビスムの多視点の発想に時間の経過を導入した作品ですが、アーモリー・ショーで最も不評でした。キュビスムの作品は概して不評で、当時のアメリカの批評は、作品の造形的側面以上にその内容や精神性に向けられていました。

画集や美術館サイトで作品をチェック!

▶Q116
アンリ・マティス
《ダンスI》(習作)
1909初頭
油彩・キャンヴァス　259.7×390.1cm
ニューヨーク近代美術館

▶Q117
パブロ・ピカソ
《アヴィニョンの娘たち》
1907
油彩・キャンヴァス　243.9×233.7cm
ニューヨーク近代美術館

Q121 モンドリアンが提唱したのはなんという主義ですか。

① 新感覚主義　② 新構造主義
③ 新造形主義　④ 新構成主義

Q122 下図のマレーヴィッチの作品には「○○○○絵画」という題名が付けられていますが、「○○○○」にあてはまる言葉はどれですか。

① シュプレマティスム（絶対主義）　② レイヨニスム（光線主義）
③ ピュリスム（純粋主義）　④ ネオ・プラスティシスム（新造形主義）

Q123 次の作家の中で、ロシア・アヴァンギャルドのグループに属さないのはだれですか。

① アレクサンドル・ロトチェンコ　② エル・リシツキー
③ ウラジミール・タトリン　④ テオ・ファン・ドゥースブルフ

Q124 第一次世界大戦中に始まった、前衛的な芸術運動「ダダ」を先導した詩人はだれですか。

① アンドレ・ブルトン　② トリスタン・ツァラ
③ ギヨーム・アポリネール　④ ルイス・ブニュエル

Q125 既製品に署名しただけのレディ・メイドのオブジェ、マルセル・デュシャンの作品「泉」は、次のうちのどれに署名したものですか。

① 大型の噴霧器
② 細長い水差し
③ 男性用の小便器
④ 水道管の蛇口

▶Q122

Q121 ③

モンドリアンが提唱した新造形主義は、グループ「デ・ステイル」の理論的中核となります。これに基づいた垂直と水平の直線、色材の三原色と白・黒の組み合わせを基調とする作品が、絵画、デザイン、建築といった幅広い分野で制作されました。

Q122 ①

1915年ペトログラードで開催されたグループ展「最後の未来派展、0−10」に、マレーヴィッチは自ら《シュプレマティスム》(絶対主義)と呼ぶ39点の絵画を出品しました。これらの絵画によって、現実の世界に束縛されない感覚の自由が実現され、現実世界から精神の世界へ飛翔できると彼は考えていました。

Q123 ④

ロシア・アヴァンギャルドは、1910年代に端を発し1930年代初頭までロシア帝国およびソビエト連邦で展開された芸術運動の総称。建築、文学、絵画、デザイン、写真、映画、批評などその分野は多岐にわたり、1920年代ロシア革命の成功とともに隆盛を極めました。ドゥースブルフはオランダで「デ・ステイル」をモンドリアンらと展開した作家です。

Q124 ②

ダダは1916年、スイスのチューリヒで詩人トリスタン・ツァラ、ジャン(ハンス)・アルプらを中心に始まり、やがて欧米各地に波及していきました。近代的合理主義や従来の芸術観を否定・攻撃したダダの活動は、新しい表現手法を生み出すとともに「芸術」の範囲を拡張しました。

Q125 ③

アメリカの現代美術は、スティーグリッツの「291」画廊から始まります。1915年に渡米したデュシャンは、ピカビア、スティーグリッツとともに雑誌『291』を創刊、ニューヨーク・ダダを始めます。当時のデュシャンは、既にレディ・メイドのオブジェを作っていました。《泉》(1917)は既製品の便器に新しい題名をつけた「オブジェ」で、デュシャンはこれによって芸術の問い直しを行ったのです。

画集や
美術館サイトで
作品をチェック!

▶Q122
カシミール・マレーヴィッチ
《シュプレマティスム絵画》

1915
油彩・キャンヴァス　101.5×62cm
アムステルダム市立近代美術館

Q126 「メルツ」で知られるアーティストはだれですか。

① ロバート・ラウシェンバーグ　② ジャスパー・ジョーンズ
③ アルマン　④ クルト・シュヴィッタース

Q127 下図のようなデ・キリコの作風はどう呼ばれていますか。

① 形而上派　② 構成派
③ 象徴派　④ 観念派

Q128 1924年に『シュルレアリスム宣言』を起草したのはだれですか。

① ダリ　② バタイユ
③ デュシャン　④ ブルトン

Q129 シュルレアリスムの画家の中で、文字における「自動記述法」に最も近い非作為的なデッサン方法を実践したのは、次のうちのだれですか。

① ダリ　② マッソン
③ タンギー　④ ベルメール

Q130 シュルレアリスムの技法の1つで、あらかじめ紙に塗った絵具面に別の紙を押し付けて、イメージを写し取る表現法をなんといいますか。

① フロッタージュ　② コラージュ
③ 自動記述　④ デカルコマニー

▶Q127

Q126 ④

シュヴィッタースはドイツのダダイストで、「メルツ」は雑多な素材を寄せ集めた彼の制作物をいいます。中でも「メルツバウ」は、がらくたを寄せ集めて作った巨大な柱のような作品で、彫刻におけるコラージュのような試みの作品です。

Q127 ①

形而上絵画は、イタリアでデ・キリコと未来派のカルロ・カッラたちが1917年に始めた運動です。一見無関係なモチーフをゆがんだ空間に配置し、不安定で神秘的な雰囲気をもたらすデ・キリコの画風がその様式となります。目に見える世界にも、その背後に神秘的領域が潜んでいるという内部への関心を提示したことから、シュルレアリストたちに支持されました。

Q128 ④

『シュルレアリスム宣言』では、常識や慣習にしばりつけられている人間の解放を主張しています。精神医学を学び、フロイトからも影響を受けたアンドレ・ブルトンはのちに「シュルレアリスムの法王」と称されます。

Q129 ②

フランス出身の画家アンドレ・マッソンはシュルレアリスムの運動に参加し、自動記述（オートマティスム）をデッサンや砂絵の制作に適用していました。彼はのちにアメリカに渡り、ポロックら抽象表現主義の画家たちに大きな影響を与えました。

Q130 ④

デカルコマニーは、もともとスペイン人のオスカル・ドミンゲスが始めましたが、この技法を使った代表的なシュルレアリスムの作家は、マックス・エルンストです。エルンストはそのほかにコラージュ（新聞・雑誌、布などを画面に貼り付ける）、フロッタージュ（物の表面に紙を当ててこすり、模様を浮き出させる）といった技法も使っています。

画集や
美術館サイトで
作品をチェック！

▶Q127
ジョルジョ・デ・キリコ
《街の神秘と憂愁》

1914
油彩・キャンヴァス　87×71.5cm
個人蔵、アメリカ

Q131 自動記述を駆使した、スペイン・カタルーニャ出身の作家はだれですか。

① マックス・エルンスト ② ジョアン・ミロ
③ ハンス・ベルメール ④ パウル・クレー

Q132 下図の作品《大家族》の作者はだれですか。

① ダリ ② エルンスト
③ マグリット ④ タンギー

Q133 20世紀初頭のパリに集まった画家たちを「エコール・ド・パリの画家」と呼びますが、それに属さない画家はだれですか。

① モディリアーニ ② カンディンスキー
③ 藤田嗣治 ④ パスキン

Q134 次のエコール・ド・パリの画家のうち、パリ生まれはだれですか。

① ユトリロ ② モディリアーニ
③ シャガール ④ 藤田嗣治

Q135 下図の《空間の鳥》などの抽象彫刻で知られる作家はだれですか。

① ヘンリー・ムーア ② アルベルト・ジャコメッティ
③ コンスタンティン・ブランクーシ ④ マリノ・マリーニ

▶Q132

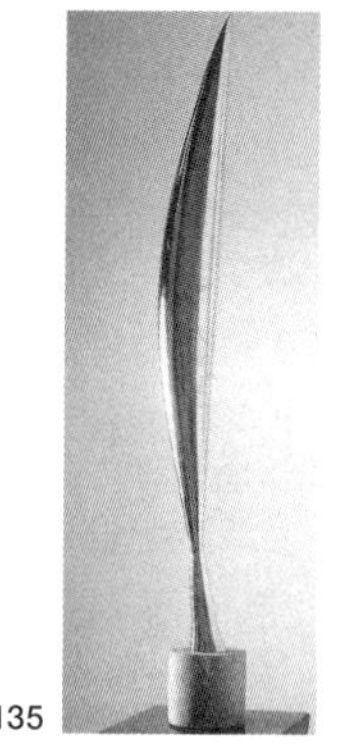
▶Q135

Q131 ②

ミロはシュルレアリストの中でも、解放された精神の表現に優れた作家です。1920年代からシュルレアリストのグループに参加し、自動記述(オートマティスム)による生物の形態を表現したような作品を多く描きました。その後、アニメーション的な動きのイメージやおおらかでユーモラスな表現も、作品の中に現れるようになります。

Q132 ③

ルネ・マグリットは、デ・キリコの作品をみたことがきっかけでシュルレアリストになりました。作品には身の回りにある物や風景を矛盾した状態で画面中に同居させる「デペイズマン」という手法が見られます。

Q133 ②

モディリアーニはイタリア人、藤田は日本人、パスキンはブルガリア人で、それぞれが独自の画風を追求したエコール・ド・パリの画家たちです。ロシア生まれのカンディンスキーはドイツに移住し、そこでマルクとともにドイツ表現主義のグループ「青騎士」を創立します。その後バウハウスの教授などに就任し、最後はフランスで亡くなっています。

Q134 ①

ユトリロはパリ生まれで、アルコール依存症の治療のために絵画を始めました。ほぼ独学で、アカデミックな技法と同時代の素朴派の傾向を兼ね備えた独自のスタイルを獲得します。モンマルトルに暮らして、パリらしい雰囲気や風景を描き続けました。

Q135 ③

ルーマニア出身の彫刻家ブランクーシは、初めプリミティブな雰囲気の作品を制作していましたが、やがて《空間の中の鳥》のように対象を極端に抽象化した作品を造るようになりました。彫刻家を目指していたモディリアーニの師としても知られています。

画集や
美術館サイトで
作品をチェック!

▶Q132
**ルネ・マグリット
《大家族》**
1963
油彩・キャンヴァス　100×81cm
宇都宮美術館、栃木

▶Q135
**コンスタンティン・ブランクーシ
《空間の中の鳥》**
1928
ブロンズ　高さ137.2×21.6×16.5cm
ニューヨーク近代美術館

Q136 イギリスのストーンヘンジや、ユカタン半島のマヤ文化の石像などからインスピレーションを受けた、イギリスの彫刻家はだれですか。

① バーバラ・ヘップワース　② ジャン・アルプ
③ ヘンリー・ムーア　④ ベン・ニコルソン

Q137 ドイツ工作連盟が1914年にケルンで行った展示会で、下図ガラスのパヴィリオンを設計したのはだれですか。

① ブルーノ・タウト　② ヴァルター・グロピウス
③ アンリ・ヴァン・デ・ヴェルデ　④ ペーター・ベーレンス

Q138 バウハウスで教鞭を執ったことがある作家はだれでしょう。

① ブランクーシ　② カンディンスキー
③ フォートリエ　④ ムーア

Q139 バウハウスの最初の校長はヴァルター・グロピウスですが、最後の校長になった人はだれですか。

① ハンネス・マイヤー　② ミース・ファン・デル・ローエ
③ ワシリー・カンディンスキー　④ マルセル・ブロイヤー

Q140 下図は「旧帝国ホテルのロビー」ですが、この建築の設計者はだれですか。

① アントニン・レーモンド　② フランク・ロイド・ライト
③ ブルーノ・タウト　④ ル・コルビュジエ

▶Q137

▶Q140

Q136 ③

ムーアは第二次世界大戦前からイギリスで注目を浴びた現代彫刻家。古代彫刻やルネサンス彫刻、さらに古代遺跡から影響を受けた作品を造っていました。1920年代末までに《横たわる人体》シリーズを造り始め、30年代には形を単純化して丸みを帯びた抽象的な人体像へと変化させました。

Q137 ①

1914年ケルンで最初の大きなドイツ工作連盟展が開かれ、グロピウスが工場と事務所のモデル建築、タウトがガラスのパヴィリオン、ヴァン・デ・ヴェルデが劇場を建てました。この展示会の総会では、大量生産における製品の「規格化」の問題が生じ、連盟内で意見の対立が起こります。しかし時代は「規格化」の方向へと確実に向かっていくことになります。

Q138 ②

モスクワ出身のカンディンスキーはモネの作品に触発され、抽象絵画へと移行しました。第一次世界大戦勃発以来、ロシアへ帰国していましたが、総合芸術教育に興味があった彼はドイツへ戻り、1922年からバウハウスで教鞭を執りました。

Q139 ②

バウハウス(1919－33)は3人の校長によって先導され、彼らはいずれも建築家でした。創立者はグロピウス、二代目はマイヤー、最後はミースです。革命の熱狂を背景にしたグロピウス時代の当初は、手仕事重視のモリス的な発想でしたが、マイヤーになると機能主義的な考えが徹底します。ミースに至っては建築教育が最も中心的に行われました。

Q140 ②

アメリカの建築家フランク・ロイド・ライトは、建物の水平性を強調し、室内の壁を取り除いて空間を有機的に連続させる《プレーリー・ハウス》を生み出し、アメリカの住宅建築に新たな展開をもたらしました。また日本でも、弟子の遠藤新らとともに、旧帝国ホテルや旧山邑家住宅などの設計に携わりました。

画集や
美術館サイトで
作品をチェック!

▶Q137
ブルーノ・タウト
DWB(ヴェルクバウンド)展のガラスのパヴィリオン

1914
ケルン

▶Q140
フランク・ロイド・ライト
旧帝国ホテルのロビー

1923完成(正面玄関部のみ博物館明治村に移築)
東京(愛知)

11 20世紀と現代の美術2(1945～1970年代)

Q141

「アール・ブリュット」(生の芸術)を提唱したアンフォルメルの造形作家はだれですか。

① ピエール・スーラージュ　② アンリ・ミショー
③ パウル・クレー　④ ジャン・デュビュッフェ

Q142

第二次世界大戦後のアメリカを中心に隆盛した、「中心を持たない構成」「平面性の強調」「巨大化する画面」などを特徴とする絵画傾向をなんと呼ぶでしょう。

① ポップ・アート　② ネオ・ダダ
③ 抽象表現主義　④ オプ・アート

Q143

1940年代にニューヨークで独自の表現を獲得し、活躍した画家たちを総称して「ニューヨーク・スクール」といいますが、それに属する画家はだれですか。

① ウォーホル　② リキテンスタイン
③ ハミルトン　④ ポロック

Q144

下図の作者はだれですか。

① ヴァザルリ　② コスース
③ ニコルソン　④ ハミルトン

▶Q144

Q141 ④

デュビュッフェは、精神病患者や霊的幻視者などの作品を「最も純粋で、最も無垢な芸術」と積極的に評価して、この言葉を用いました。彼は1945年頃からこれらの作品に注目し始め、48年にブルトン、タピエらとアール・ブリュット会社を立ち上げて、その作品を収集・公開していきました。デュビュッフェの作品に見られる、児童画のようなイメージを作り出す方法は、こうしたコレクションからの影響も考えられるでしょう。

Q142 ③

アメリカの1950年代の抽象絵画を、一般的に抽象表現主義と呼んでいます。ここに属する画家たちはそれぞれ個性的な作品を生み出しましたが、それらの多くは大画面であるという点で共通していました。このほか、ヨーロッパの第二次世界大戦後のタシスムやアンフォルメルも広く抽象表現主義と呼ばれます。

Q143 ④

1940年代後半から50年代にかけて、相次ぐ大戦を背景に、世界の文化の中心となりつつあったニューヨークを拠点として、絵画の実験を展開したクリフォード・スティルやデ・クーニング、ポロックら抽象表現主義作家たちをニューヨーク・スクールと総称します。ほかの選択肢の作家たちは、ポップ・アートの代表的な作家として知られています。

Q144 ④

リチャード・ハミルトンは、ロンドンの現代芸術研究所(ICA)で1952年から55年に集った「インディペンデント・グループ」のメンバーの1人です。彼らは戦後イギリスで高まったアメリカ的消費生活や文化に注目し、広告、SF、大衆文化と美術とのかかわりを肯定的にとらえていました。この作品は、1956年に開催された同グループの展覧会「これが明日だ」展を象徴するイメージとして制作されました。

画集や
美術館サイトで
作品をチェック!

▶Q144
リチャード・ハミルトン
《いったい何が今日の家庭をこれほどに変え、魅力的にしているのか?》

1956
紙にコラージュ　26×25cm
テュービンゲン美術館

Q145 Q144でおもに使われている技法はなんですか。

① アサンブラージュ　② コラージュ
③ デカルコマニー　④ フロッタージュ

Q146 下図のような地図や国旗をモチーフとする作品で知られる、アメリカの画家はだれでしょう。

① ジャスパー・ジョーンズ　② ジャクソン・ポロック
③ ロバート・ラウシェンバーグ　④ アンディ・ウォーホル

Q147 下図のジャッドの作品のように、造形要素を極度に切りつめた表現動向をなんというでしょう。

① ミニマル・アート　② インタラクティヴ・アート
③ オプティカル・アート　④ ポップ・アート

Q148 フランク・ステラが絵画自体を「もの」として提示するために用いた、描くものの形と画面の形を一致させる方法はどれですか。

① ミクストメディア　② シェイプト・キャンヴァス
③ ステイニング　④ ハード・エッジ

Q149 1960年中頃に注目を集めた美術動向に、錯視的効果をねらった「オプ・アート」がありますが、その代表的な画家はだれですか。

① クライン　② ステラ
③ ポロック　④ ヴァザルリ

▶Q146

▶Q147

Q145 ②

コラージュは、ピカソやブラックがキュビスムの実験の過程で使い始め、その後、ダダやシュルレアリスムの作家たちが独自に発展させた技法です。ハミルトンはこのコラージュ作品で、マス・メディアからイメージの断片を寄せ集めました。イギリスのポップ・アーティストたちは、ダダイストが商業文化を批判したのとは反対に、それを肯定的に受けとめ、作品の新たな源泉としました。

Q146 ①

アメリカの画家ジャスパー・ジョーンズは作品の中に国旗や数字、標識など普段人々が見慣れているものを採り入れました。この芸術傾向はネオ・ダダと呼ばれ、ロバート・ラウシェンバーグもこの傾向に分類される作家です。既成のイメージを利用するという点でポップ・アートの先駆者ともいえます。

Q147 ①

主観的な感情表現を排除し、表現を「最小限(ミニマム)」にすることを目指したため、この名称があります。1960年代から70年代にかけてアメリカを中心に隆盛しました。

Q148 ②

矩形や円形といったそれまでの一般的なキャンヴァスの形に対してより自由な形を持ったものをシェイプト・キャンヴァスと称します。これは1960年代のアメリカにおいて誕生しました。

Q149 ④

オプ・アート(オプティカル・アート)は、バウハウス時代のヨーゼフ・アルバースを先駆者とし、ハンガリー出身でフランスを中心に制作活動したヴィクトル・ヴァザルリによって1950年代に展開しました。この傾向が注目を集めるのは、65年にニューヨーク近代美術館で企画された「反応する眼」展によってです。この展覧会には、ブリジット・ライリーやリチャード・アヌスキヴィッツらも参加しました。

画集や美術館サイトで作品をチェック!

▶Q146
ジャスパー・ジョーンズ
《三枚の旗》
1958
蜜蝋・キャンヴァス　77.8×115.6×11.7cm
ホイットニー美術館、ニューヨーク

▶Q147
ドナルド・ジャッド
《無題》
1989
青の陽極処理したアルミニウム、
透明なプレキシグラス10ユニット
各15.2×68.6×61cm

Q150 下図の作品の説明として適切なものはどれですか。

① 運動のダイナミズムを立体化した男性像
② 有機的で抽象的な母子像
③ 豊かな量感と安定感を持った女性像
④ 肉を削り取るなどして極端にデフォルメした女性像

Q151 1960年代にジョージ・マチューナスやオノ・ヨーコらがアメリカで展開した芸術運動はなんですか。

① シュポール/シュルファス　② コブラ
③ フルクサス　④ ヌーヴォー・レアリスム

Q152 下図のような実際に動く彫刻「モビール」を発明したのはだれですか。

① ジャン・ティンゲリー　② アレクサンダー・カルダー
③ ナウム・ガボ　④ ロバート・ラウシェンバーグ

Q153 次の作家の中で、蛍光管を用いるだけで清冽な空間を演出したアーティストはだれですか。

① フランク・ステラ　② アグネス・マーチン
③ ダン・フレイヴィン　④ ソル・ルウィット

Q154 リヒターらとともに「資本主義リアリズム」を掲げ、その後も大量消費社会の象徴的イメージを批判的に作品へ採り入れるドイツの作家はだれですか。

① ポルケ　② ペンク
③ バゼリッツ　④ キーファー

▶Q150

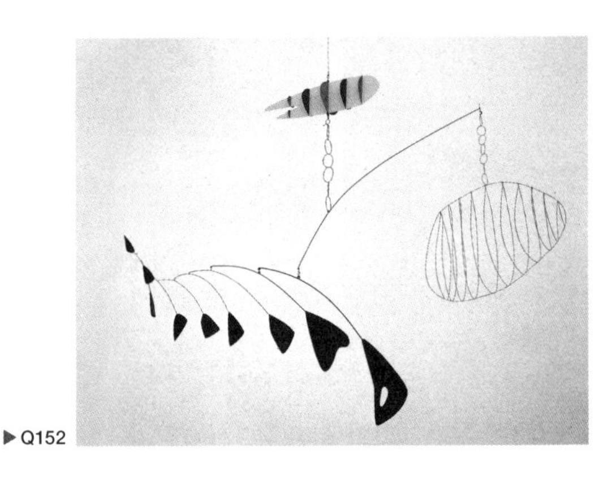
▶Q152

Q150 ④

ジャコメッティは、1935年頃よりシュルレアリスムから離れ、その独特の人間像を模索し始めますが、評価されるのは戦後になってからでした。《立つ女II》のように、余分なものをそぎ落とし人間存在の本質に迫る彫刻が特徴的です。

Q151 ③

フルクサスという運動名はジョージ・マチューナスによって命名されたもので、この言葉には「流動、変化、排泄」といった意味が含まれています。その活動は「イヴェント」、出版、商品販売など多岐にわたりました。

Q152 ②

アレクサンダー・カルダーの動く作品を「モビール」と命名したのはマルセル・デュシャンです。カルダーは「モビール」以外にも動かない針金彫刻や鉄鋼彫刻を制作しており、それらを一括して「スタビル」と呼んでいます。このような動く彫刻は「キネティック・アート」とも呼ばれ、スイス出身のジャン・ティンゲリーは廃品を集めモーター仕掛けの奇妙な機械を作品として制作しました。

Q153 ③

ダン・フレイヴィンは、1960年代に興ったミニマル・アートに属する作家のひとりですが、蛍光管が放つ光そのものを作品として追求しました。フレイヴィンの蛍光管を用いた作品は「ライト・アート」とも呼ばれています。

Q154 ①

旧ドイツ領シュレージエン（現ポーランド）に生まれたポルケは1953年旧西独に渡り、デュッセルドルフ芸術アカデミーで絵画を学びました。ポルケは60年代アメリカのポップ・アートを批判的に継承し、網点絵画、布絵画、透明絵画、色の変化する絵画などによって今日の社会や美術を巡る問題を明るみに出そうとしてきました。

画集や
美術館サイトで
作品をチェック！

▶Q150
アルベルト・ジャコメッティ
《立つ女II》
1959－60
ブロンズ　高さ275×32×58cm
ポンピドゥー・センター、パリ

▶Q152
アレクサンダー・カルダー
《ロブスターのわなと魚のしっぽ》
1939
彩色鉄製ワイヤー・アルミニウム　直径260×290cm
ニューヨーク近代美術館

Q155 「フォト・ペインティング」の作品シリーズなどで知られる画家はだれですか。

① アンゼルム・キーファー　② ゲルハルト・リヒター
③ ジグマー・ポルケ　④ A・R・ペン

Q156 下図はコンセプチュアル・アートの代表的な作家の作品です。作者はだれでしょう。

① ヨーゼフ・ボイス　② イヴ・クライン
③ ソル・ルウィット　④ ジョセフ・コスース

Q157 1960年代にイタリアで始まった美術運動「アルテ・ポーヴェラ」の言葉の意味はなんですか。

① 豊かな芸術　② 貧しい芸術
③ 生の芸術　④ 光の芸術

Q158 下図はだれの作品でしょう。

① リチャード・セラ　② フランク・ステラ
③ ジョセフ・コスース　④ アンソニー・カロ

Q159 1960年代後半にランド・アート（アース・ワーク）が世界的な流れとして出てきます。この傾向と関係のない作家はだれですか。

① マイケル・ハイザー　② リチャード・ロング
③ ロバート・スミッソン　④ ケネス・ノーランド

▶Q156

▶Q158

Q155 ②

リヒターは1932年、旧東ドイツのドレスデンに生まれ、同地の芸術アカデミー絵画科を卒業します。しかし、社会主義体制に未来を見出せず、ベルリンの壁が建てられる直前に西側のデュッセルドルフに移住、そこでデュッセルドルフ芸術アカデミーに入り直しました。リヒターは抽象・具象、色彩・灰色といった多様な表現手段を用い、絵画はどのような図像を表し得るのかをつねに探求し続けています。

Q156 ④

コスースの《一つの、そして三つの椅子》は椅子とその写真、そして辞書の椅子の項目の引用を一緒に展示することで、物体と観念の両方を使い、椅子についての思考を提起しました。このようにコンセプチュアル・アートの作家たちは、絵画や彫刻などのような形態をとることなく、例えば文章や図表、写真などを用いることで、なるべく純粋に構想(コンセプト)そのものを伝えるよう試みました。

Q157 ②

「アルテ・ポーヴェラ」という言葉は、イタリアの批評家ジェルマーノ・チェラントが1967年に初めて用いました。伝統的な美術の素材ではなく日常的な事物を素材として用いた作品を指し、その言葉には「捨てても惜しくはない日常的な事物」というニュアンスが込められています。作家たちはそうした作品によって観者の意識の変革をねらいました。作家にミケランジェロ・ピストレットらがいます。

Q158 ④

アンソニー・カロは、当初イギリスでモデリングによる人体の動きを表す彫刻を制作していました。その後、1959年のアメリカ滞在中に、カラー=フィールド・ペインティングやデイヴィッド・スミスの鉄材を溶接した彫刻に接して強い影響を受けます。帰国後、鉄板や鉄骨を彩色した構成的な抽象彫刻を制作し始め、作品は台座にではなく床に直接置かれました。

Q159 ④

ランド・アートは1960年代後半から70年代、自然風景を対象にしてそれに手を加えた表現傾向です。美術作品は、完成すると美術館などで展示される「可動」なものととらえられますが、ランド・アートはその土地で制作・発表される、移動不可能なものでした。そこで「サイトスペシフィック(場の特異性)」という言葉が生まれます。ランド・アートはこの時代の、アートのカテゴリーを批判的に問い直す表現の1つでした。④のノーランドは、カラー=フィールド・ペインティングの画家です。

画集や美術館サイトで作品をチェック!

▶Q156
ジョセフ・コスース
《一つの、そして三つの椅子》(木製折りたたみ椅子、椅子の写真、椅子の定義文の拡大写真)
1965
木製椅子82×37.8×53cm、椅子の写真91.5×61.1cm、椅子の定義写真61×76.2cm
ニューヨーク近代美術館

▶Q158
アンソニー・カロ
《真昼》
1960
彩色鉄板　235.6×96.2×378.5cm
ニューヨーク近代美術館

Q160 下図のインスタレーションはだれの作品ですか。

① ウォルター・デ・マリア　② ロバート・スミッソン
③ リチャード・ロング　④ ダニエル・ビュラン

Q161 下図はイギリスの作家G＆Gの「生きた彫刻」シリーズですが、G＆Gとはなんの略称ですか。

① ジョージ&ジョージ　② ギガー&ジョージ
③ ギルモア&ジョージ　④ ギルバート&ジョージ

Q162 ヴィデオ・アートを開拓した作家はだれですか。

① ヨーゼフ・ボイス　② ナム・ジュン・パイク
③ ジョセフ・コスース　④ ハンス・ハーケ

Q163 ヨーゼフ・ボイスが提唱した芸術理念を一言で表す言葉はどれですか。

① 生きた彫刻　② 公共彫刻
③ 環境彫刻　④ 社会彫刻

Q164 「フルクサス」の主要メンバーでもあったヨーゼフ・ボイスは、どこの国の作家ですか。

① スイス　② ドイツ
③ オーストラリア　④ オランダ

▶Q160

▶Q161

Q160 ①

インスタレーションとは、室内や屋外の空間全体を採り入れた大規模な作品のことで、多くの場合、永続的なものではなく、展示期間が終われば解体されてしまいます。そこには作品が商品として売買されるシステムに対抗する意図があるともいえるでしょう。デ・マリアはランド・アート（アース・ワーク）の代表的な作家で、自然を相手に大規模なインスタレーションを制作したことで知られています。

Q161 ④

《生きた彫刻》は、ロンドンの美術大学の彫刻科に在学中に知り合った、ギルバートとジョージが1969年から発表し始めました。美術館の階段で、スーツ姿の2人が顔に金属粉を塗って何時間も彫刻のように一定のポーズを取り続けるといった、芸術を個人的な「生」の次元に結びつける方法論を展開しました。1972年以降は写真を使ってメッセージ性の強い作品を制作しています。

Q162 ②

ヴィデオ・アートは、1960年代前半にナム・ジュン・パイクやヴォルフ・フォステルが制作したテレビ受像機を使った映像実験から始まります。それは、テクノロジーの可能性を追求すると同時に、メディアによる意識支配を批判する意図を持った表現活動でもありました。撮影・編集によってヴィデオテープに完結させた作品形態と、インスタレーションとに大別できます。

Q163 ④

ヨーゼフ・ボイスは社会そのものが芸術作品になるべきだと考えたアーティストで、社会を巻き込むかたちでさまざまな作品制作を行いました。デュッセルドルフ芸術アカデミーで教鞭を執り、その教室からはポルケやキーファーなどを輩出しています。

Q164 ②

ボイスは、終戦後にデュッセルドルフ芸術アカデミー彫刻科で学び、のちにそこで11年間教授を務めました。木、フェルト、脂肪、銅、蜜蝋などの素材を繰り返し用いて立体作品を制作しています。フルクサスにも一時期参加し、メッセージ性の強いイヴェントやパフォーマンスを行いました。「社会彫刻」という概念に基づき、芸術を教育や政治の分野にまで拡張し、「自由国際大学」を創設、平和政党「緑の党」結成にもかかわった作家です。

画集や
美術館サイトで
作品をチェック！

▶Q160
ウォルター・デ・マリア
《ライトニング・フィールド》
1977
縦25本・横16本の格子状に1マイル×1kmにわたって並べたステンレス鋼400本
ケマード（ディア美術財団コレクション）、ニューメキシコ

▶Q161
ギルバート＆ジョージ
《歌う彫刻》
1971
ソナベント画廊にて、ニューヨーク

合格者オススメのアートの本！

流れがわかるし資料も満載、そんな"使える"日本美術史の本を選ぶとしたら？

美術出版ライブラリーの『日本美術史』が便利！

作品がオールカラー＆大判で、記憶に残る！

山下裕二・髙岸輝 監修
『美術出版ライブラリー 歴史編 日本美術史』（2014年）
美術出版社　3080円

日本美術史学習の参考書として使いやすい1冊。縄文時代から21世紀初頭までの日本美術の概要がつかめます。各時代の流れや特徴が年表付きで4～6ページ程度にまとめられ、その時代の重要な事項解説が個別に設けられた構成。また、各時代のコラムでは、現代的な解釈や今の視点も踏まえて書かれており、わかりやすく感じます。展覧会に行く前の予習にも便利です。一番うれしいのは、大きなカラー図版！　美術検定の関連書籍ではわからなかった部分も見えて、記憶にバッチリ残ります。美術検定の受験対策にも使える本です。　（東京都　田中さん）

2 1970年代までの日本美術史

01 先史・古墳時代の美術

Q165 下図のような特徴の土器はなんと呼ばれていますか。

① 丸底深鉢　② 火焔型土器
③ 渦巻文土器　④ 台付異形土器

Q166 以下の時代と作例の組み合わせとして、正しいものはどれですか。

① 縄文時代 ―《チブサン古墳石屋形》
② 弥生時代 ―《袈裟襷文銅鐸》
③ 飛鳥時代 ―《竹原古墳壁画》
④ 天平時代 ―《伝仁徳天皇陵》

Q167 古墳時代後期になると、朝鮮半島から、窯を用いて焼成する土器の製法が伝えられました。これをなんといいますか。

① 須恵器　② 土師器
③ 縄文式土器　④ 弥生式土器

Q168 下図の壁画が描かれたのはいつの時代ですか。

① 縄文時代　② 弥生時代
③ 古墳時代　④ 飛鳥時代

▶Q165

▶Q168

Q165 ②

紀元前1万年頃、食料を煮炊きする道具として、土器が作られるようになりました。これらの多くに縄目の文様が見られることから、この時代を縄文時代といいます。縄だけではなく、貝殻、木の棒なども文様を付ける道具として使われました。縄文時代中頃の作例と考えられている火焔型土器は、とりわけ装飾性が豊かです。

Q166 ②

弥生時代には、大陸から稲作とともに青銅器がもたらされました。青銅器には銅鐸、銅鏡、銅剣などがあり、いずれも儀式に用いられたと考えられています。銅鐸は大陸で盛んに制作された銅鈴をもとに、紀元前200年頃から近畿・東海地方で作られるようになりました。表面には幾何学的な文様や人、動物、狩猟や農耕の様子などが描かれています。

Q167 ①

それまでの土器は低温の野焼きで作られていたため強度があまりありませんでしたが、須恵器は窯を用いて高温で焼成していたために硬質です。縄文土器とは対照的に、すっきりと洗練されたデザインのものが多いこともその特徴の1つです。古墳の副葬品や儀式用に使われたと考えられ、平安時代まで作られました。

Q168 ③

権力者の墓である古墳は3世紀頃に現れ、6世紀に仏教が伝来したのちも8世紀頃まで建造されました。壁面に絵や文様が描かれたものは装飾古墳と呼ばれ、九州北部で多く発見されています。

画集や美術館サイトで作品をチェック!

▶Q165
《火焔型土器》
BC3000－BC2000（縄文時代中期）
高さ32.5cm、新潟県長岡市馬高遺跡出土
長岡市立科学博物館、新潟　重文

▶Q168
《竹原古墳壁画》（後室奥壁）
6世紀後半（古墳時代後期）
高さ約150×幅約200cm
宮若市教育委員会、福岡　国指定史跡

02 古代美術1（飛鳥・奈良時代）

Q169 法隆寺金堂に安置されている《釈迦三尊像》の様式はどの時代のものですか。

① 飛鳥時代　② 白鳳時代
③ 天平時代　④ 藤原時代

Q170 下図はQ169の中尊ですが、このような飛鳥仏に特徴的な目の形をなんというでしょう。

① 団栗形　② 銀杏形
③ 愛玉子形　④ 杏仁形

Q171 下図のような、片足を組み（半跏）片手を頬に触れて瞑想するようなポーズの仏像をなんといいますか。

① 半跏沈思像　② 半跏正坐像
③ 半跏思惟像　④ 半跏黙考像

Q172 高松塚古墳に関する説明で、不適当なものはどれですか。

① 7世紀終わりから、8世紀の初め頃に造られた。
② 石槨の中には、星座、群像、青龍、白虎、玄武が描かれている。
③ 壁画には、中国や高句麗の影響が考えられている。
④ 1972年に発見され、現在、内部が一般公開されている。

▶Q170

▶Q171

Q169 ①

百済の聖明王によって日本に仏教が伝えられたのは6世紀の半ばのことです。日本で仏像が造られ始めたのは飛鳥時代で、ブロンズ鋳造か木彫の2種類でした。法隆寺金堂の《釈迦三尊像》はこの時代の代表的作例です。これは鞍作止利によって制作されました。飛鳥時代の仏像は頭部と手が大きめに表現されるのが特徴です。

Q170 ④

杏仁形(きょうにんがた)とは「あんずの種のかたち」という意味。上下のまぶたが弧を描きアーモンドのような形になっている目を表現する言葉です。杏仁形の目は飛鳥時代の仏像のほか、中国・北魏時代の仏像にもしばしば見られます。

Q171 ③

この形式はインドを起源とし、その後中国や朝鮮半島を経て日本に伝来しました。日本では6、7世紀の「弥勒菩薩像」で採用されることが多く、代表例に奈良・中宮寺や京都・広隆寺の《弥勒菩薩像》が挙げられます。

Q172 ④

「高松塚古墳」は、1972年3月21日、奈良県高市郡明日香村で発見されました。以来、調査・研究が進められましたが、2004年、内部に発生したカビなどによる壁画の損傷が指摘されます。現在は恒久保存に向けての解体修理作業が行われており、内部を見ることはできません。文化庁によると、将来的には、環境を整えた上で現地に戻されるようです。

画集や
美術館サイトで
作品をチェック!

▶Q170
鞍作止利《釈迦三尊像》(中尊)
623(推古31)
銅造・鍍金、像高86.4cm
法隆寺(金堂)、奈良　国宝

▶Q171
《菩薩半跏像(伝如意輪観音)》
7世紀後半(白鳳時代)
木造・彩色　像高126.1cm
中宮寺、奈良　国宝

Q173 伊勢神宮の社殿などは、式年遷宮といってある年数ごとに建て直される決まりになっています。それは何年ごとですか。

① 10年　② 20年
③ 30年　④ 40年

Q174 釈迦の前世と生涯が、経文と絵で表されている下図の作品をなんといいますか。

①《絵因果経》　②《釈迦説法図繍帳》
③《天寿国繍帳》　④《当麻曼荼羅》

Q175 興福寺の《阿修羅》はじめ《八部衆像》は、どのような性質の神でしょうか。

① 釈迦に教化され仏法を守護するインド由来の神
② 仏教を破壊しようとし仏法の敵とされた中央アジア由来の神
③ 本来仏教とは関係のないペルシア由来の神
④ 仏教東伝とともに採り入れられた中国・道教の神

Q176 下図の奈良時代に建立された三重塔は、次のうちのどこの寺院にありますか。

① 唐招提寺　② 秋篠寺
③ 東大寺　④ 薬師寺

Q177 奈良時代に建てられた聖武天皇の遺品など貴重な宝物を収蔵する建築はどれですか。

① 宝物殿　② 収古館
③ 正倉院　④ 収蔵庫

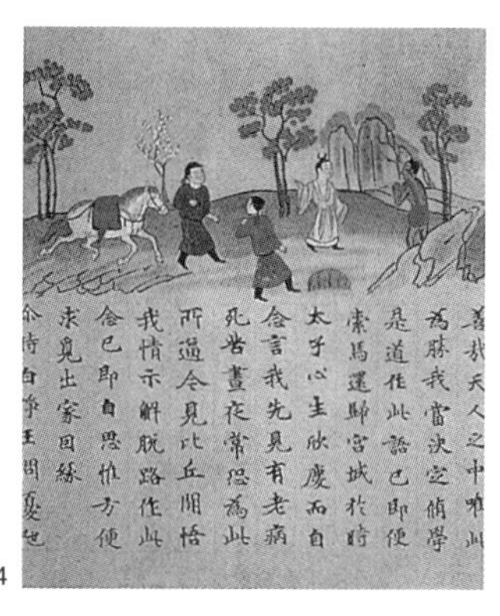
▶Q174

▶Q176

Q173 ②

5世紀後半から6世紀後半に創祀されたと考えられている伊勢神宮は、現在20年ごとに建物・神宝・調度を造り改めています。この制度は持統天皇(在位690－697)のときに始められたと伝承されていますが、以来まったく同じに造られているわけではありません。今の伊勢神宮は、16世紀の後半に再建された形式を受け継いでいます。

Q174 ①

《絵因果経》は、仏伝経典の1つである『過去現在因果経』をもとに作られました。西欧における宗教画と同様、信仰の内容を言葉だけではなくイメージに置き換えることで、よりわかりやすく釈迦の生涯を伝えようとしたのでしょう。作画には中国の影響が見られます。鎌倉時代から盛んになる、絵巻の源流と考えられています。

Q175 ①

興福寺の八部衆像は734年、十大弟子像とともに乾漆造によって造立されました。八部衆とは、釈迦に教化され仏法を守護するようになったインド異教の神々で、阿(あ)修羅(しゅら)のほか、天、竜、夜叉(やしゃ)、乾闥婆(けんだつば)、迦楼羅(かるら)、緊那羅(きんなら)、摩睺羅伽(まごらか)の八神から構成されています。

Q176 ④

薬師寺は680年、天武天皇が皇后の病気回復を祈願して藤原京に建造が開始されました。しかし平城京に移転後に数度の災害に遭い、当時の遺構は「東塔」(三重塔)を残すのみです。一見、六重の塔に見えるのは、それぞれの屋根の下に付けられた裳階(もこし)によるものです。これにより外観の美しさが際立っています。奈良時代の現存例には鑑真が創建した唐招提寺金堂、東大寺創建時の唯一の遺構である正倉院などが挙げられます。

Q177 ③

東大寺の一角にある正倉院は、東大寺創建期から残る唯一の建造物です。高床式、校倉造の建造物で、その内部には光明皇后によって東大寺大仏に奉納された聖武天皇の宝物などが収められています。聖武天皇は仏教を厚く信仰し、国土支配の根本に置き、諸国に国分寺と国分尼寺を建立し、奈良には全国の国分寺の中心として東大寺を造営しました。

※宝物については『美術検定　公式テキスト　改訂版 西洋・日本美術史の基本』p.183-184参照

画集や美術館サイトで作品をチェック!

▶Q174
《絵因果経》(部分)
8世紀(奈良時代)
紙本著色　26.4×115.9cm
奈良国立博物館　重文

▶Q176
東塔
730(天平2)
三間三重塔婆・毎重裳階付・本瓦葺
薬師寺、奈良　国宝

03 古代美術2（平安時代）

Q178 空海の密教思想を立体的に表しているのはどれですか。

① 法隆寺五重塔の塑像群
② 東大寺法華堂の乾漆造による諸像
③ 東寺講堂に配置された諸尊
④ 平等院鳳凰堂に安置された阿弥陀如来像

Q179 下図の仏像はQ178の一部です。なんという仏像ですか。

①《薬師如来立像》　②《梵天坐像》
③《如意輪観音坐像》　④《普賢菩薩像》

Q180 下図の国宝《薬師如来立像》は、次のどの技法により造立されましたか。

① 乾漆造　② 塑造
③ 寄木造　④ 一木造

Q181 定朝が1053年に制作した《阿弥陀如来坐像》はどの寺院にありますか。

① 法隆寺　② 平等院
③ 浄土寺　④ 知恩院

▶Q179

▶Q180

Q178 ③

唐で密教を修めた空海は、国家鎮護のため東寺講堂に彫刻による曼荼羅を設置することを計画します。8世紀に中国で体系化された密教では、伝道や儀式、瞑想に、造形が重要な役割を果たしていました。空海や最澄をはじめとする留学僧たちは、密教の教えとともに、密教画や白描の図像を日本にもたらしました。その中でも「曼荼羅」は密教が唱える世界と真理を表すものです。

Q179 ②

東寺講堂に安置されている《梵天坐像》は、木心乾漆技法で制作されました。また、その服装は奈良時代のそれとは大きく異なり、この像が当時最新の図像をもとに制作されたことをうかがわせます。

Q180 ④

神護寺の国宝《薬師如来立像》は、793年頃の作品で、両手先以外のほとんどの部分を一本の素木から彫り出す一木造の木彫像です。ボリュームのある張り切った肉身、厳しい表情、鋭く深い彫り、大小の波を規則的に繰り返すような衣文線を備え、平安前期の仏像の特徴をよく示しています。

Q181 ②

平等院鳳凰堂の《阿弥陀如来坐像》は、定朝（じょうちょう）による1053年の作で、寄木造の技法が用いられています。表情や衣文に見られる穏やかで優美な表現は平安後期特有のものです。定朝の影響を受けたいわゆる「定朝様（じょうちょうよう）」の彫刻は、各地で多くの仏師によって制作されることになります。平等院は、11世紀に藤原頼通が別荘として建てたものを寺にしたもので、浄土式伽藍と呼ばれています。

画集や美術館サイトで作品をチェック！

▶Q179
《梵天坐像》
839（承和6）
木造乾漆併用・彩色　像高100cm
東寺（教王護国寺）、京都　国宝

▶Q180
《薬師如来立像》
8世紀後半（平安時代）
一木造　像高169.7cm
神護寺、京都　国宝

Q182

神社や仏寺の創建の由来や本尊の霊験などを描いた絵巻をなんといいますか。

① 伝承絵巻　② 説話絵巻
③ 縁起絵巻　④ 創世絵巻

Q183

次の絵巻のうち、物語絵巻に属する平安時代の作品はどれでしょう。

①《信貴山縁起絵巻》　②《蒙古襲来絵詞》
③《北野天神縁起絵巻》　④《源氏物語絵巻》

Q184

下図のようなそれまでの中国調の仏画に代わって、平安時代後期の10世紀後半あたりから登場した日本の風物や風俗を題材にした絵画をなんといいますか。

① 四季絵　② 京絵
③ 世俗絵　④ やまと絵

Q185

唐絵とやまと絵の違いについての説明で、正しいものはどれですか。

① 墨一色で描かれた絵が唐絵、多色により鮮やかに描かれた絵がやまと絵。
② 中国的主題の絵が唐絵、日本的主題の絵がやまと絵。
③ 中国からの輸入画材を使用した絵が唐絵、日本の画材を使用した絵がやまと絵。
④ 渡来人が描いた絵が唐絵、日本人が描いた絵がやまと絵。

Q186

下図の仏画に描かれているのはなんという菩薩ですか。

① 文殊菩薩　② 観音菩薩
③ 普賢菩薩　④ 弥勒菩薩

▶Q184

▶Q186

Q182 ③

縁起絵巻は対象とする社寺の権威を示し、信仰を集めることを目的に制作されました。平安3大絵巻の1つとされる《信貴山縁起絵巻》をはじめ、平安後期から制作されていた縁起絵巻ですが、鎌倉時代に入ると新仏教の台頭などに危機感を募らせた宗派や神社が盛んに制作するようになりました。

Q183 ④

物語絵巻は、文学を題材に絵巻化したものです。《源氏物語絵巻》は、華やかな色彩や細密な描写で、『源氏物語』の世界を情緒的に表現しました。金銀の装飾が施された料紙の雅さとともに、吹抜屋台や引目鉤鼻という技法を使い、物語の情緒や心理を象徴的に表現していることも注目されます。

Q184 ④

やまと絵は倭絵、大和絵とも表記され、日本の絵画史のうち宗教画を除く鑑賞的絵画である風景・花鳥画・物語・人物・風俗画などにわたって平安時代以来用いられています。奈良から平安初期頃まで受け入れていた中国の絵画様式を唐絵と呼び区別しました。

Q185 ②

「唐絵」は平安時代以来使われた絵画用語で、本来は唐からもたらされた絵、あるいは中国を題材として描いた日本の絵を指し、それに対して平安時代における「やまと絵」は日本の風景や風俗を描いた絵、とくに月次絵(つきなみえ)や四季絵、名所絵を指しました。

Q186 ③

普賢菩薩は法華経を信仰する者を救うために白い象に乗って出現するといわれており、本図のように白い象に乗った姿で表現されます。また、文殊菩薩とともに釈迦如来の脇侍とされることもあります。

画集や美術館サイトで作品をチェック!

▶Q184
《両部大経感得図》(部分)
1136(保延2)
絹本著色、2幀　各179×143cm
藤田美術館、大阪　国宝

▶Q186
《普賢菩薩像》
12世紀(平安時代)
絹本著色　159.1×74.5cm
東京国立博物館　国宝

04 中世美術1（鎌倉時代）

Q187 東大寺南大門は、鎌倉時代に行われた新しい建築様式により建てられています。それはどれでしょう。

① 和様　② 唐様
③ 大仏様　④ 南都様

Q188 下図の仏像の作者はだれですか。

① 定朝　② 快慶
③ 運慶　④ 円空

Q189 ある高僧を主人公にした絵巻は、次のうちのどれですか。

①《伊勢物語絵巻》
②《一遍上人伝絵巻（一遍聖絵）》
③《春日権現験記絵（春日権現霊験記絵巻）》
④《北野天神縁起絵巻》

Q190 下図の《那智瀧図》はどのジャンルの作品に分類されますか。

① 仏画　② 障屏画
③ 垂迹画　④ 道釈画

▶Q188

▶Q190

Q187 ③

源平争乱の中で焼失した南都（奈良）の東大寺や興福寺では、戦乱終息後の鎌倉時代初めに大規模な復興事業が行われます。東大寺復興の総合プロデューサー（大勧進（だいかんじん））となったのが、中国に3度渡ったと自称する僧・重源。伽藍の再建に際し彼は、当時の中国で行われていた単純で合理的な建築様式「大仏様（だいぶつよう）」を新しく採用し、大仏殿や南大門などの巨大な建築を建立しました。

Q188 ③

《無著立像》は、兵火で焼けた興福寺北円堂を再建した際、運慶ら6人が制作した安置諸仏九躯の内の一躯です。現在はほかに本尊《木造弥勒如来像》と《世親像》を残すのみですが、それぞれ国宝に指定され、鎌倉彫刻の卓越した作例として伝えられています。堂々とした体躯は、明治期に議論された「彫刻の自立性」を感じさせます。

Q189 ②

《一遍上人伝絵巻（一遍聖絵（いっぺんひじりえ））》は、時宗の開祖である一遍の出家から臨終までが描かれた絵巻で、全12巻、48段よりなります。奥書から、1299年に聖戒によって企画され、法眼円伊によって絵が描かれたことがわかります。おそらく、円伊を主宰とする工房による制作でしょう。当時の人々の生活と風俗が誇張なく描かれています。

Q190 ③

本地垂迹とは、日本の神々はインド起源の仏が人々を救済するために姿を変えて現れたものとする考えです。本地垂迹美術では神社周辺地域の景観とそれに対応する仏教の諸尊を組み合わせた作品などが描かれました。

画集や美術館サイトで作品をチェック！

▶Q188
運慶・運助
《無著立像》
1212（建暦2）
寄木造・彩色・玉眼　像高194.7cm
興福寺、奈良　国宝

▶Q190
《那智瀧図》
13−14世紀（鎌倉時代）
絹本著色　160.7×58.8cm
根津美術館、東京　国宝

05 中世美術2（南北朝・室町時代）

Q191 下図の《慕帰絵》は浄土真宗のある高僧の生涯を描いた絵巻です。その僧侶はだれですか。

① 親鸞　② 覚如
③ 蓮如　④ 証如

Q192 室町時代の文化・美術にとくに大きな影響を与えた仏教の宗派はどれですか。

① 天台宗　② 真言宗
③ 律宗　④ 禅宗

Q193 室町時代初期、足利義満が京都の北山に造営した別荘で、のちに禅寺となった建築物の通称はなんですか。

① 金閣寺　② 銀閣寺
③ 護国寺　④ 醍醐寺

Q194 下図のような、画に詩が書かれた、室町時代の掛軸をなんというでしょう。

① 詩画軸　② 書軸画
③ 画中書　④ 書画一致

▶Q191

▶Q194

Q191 ②

藤原隆昌・隆章により描かれた《慕帰絵(ぼきえ)》(西本願寺)は、浄土真宗を開いた親鸞の後継者で、本願寺教団の基礎を築いた第三世・覚如(かくにょ)の伝記を描いた絵巻です。絵巻からは当時の建物や調度、風俗の様子をよくうかがい知ることができます。

Q192 ④

禅宗の寺院のことを「禅林」といいますが、室町時代はこの禅林のネットワークが作られ、国内外を問わず盛んな交流を見せた時代でした。多くの僧が中国に修行に行き、彼らは帰国すると中国式の規範のもとに後進を育てました。同時代の中国の禅林が文化の拠点となっていたように、日本の禅林もまたそのような場として機能していたのです。

Q193 ①

金閣寺の正式名称は鹿苑寺といいます。金閣はこの寺の中心的な建物で、これは応仁の乱では唯一寺内で焼失を免れたものの1950年には放火によって焼失しています。現在の建物はその5年後に復元されたものです。

Q194 ①

詩画軸は画面の中に詩や賛が加えられたもの。多くの場合、縦長の掛幅という形式をとり、文字は画面上方に配されます。もともと元時代の文人たちの間で行われていたものですが、日本でも室町時代に禅僧たちの間で流行しました。詩画軸に描かれる内容として好まれたのは、禅僧特有の生活や教養にちなんだもの。大自然の中にある書斎や、友人との送別の様子などのほか、禅の公案や中国の古典の世界を絵画化したものも多く見られます。

画集や美術館サイトで作品をチェック!

▶Q191
藤原隆章・隆昌
《慕帰絵》(部分)
1351(正平6または観応2)
紙本著色、全10巻　各32×812.1～1481.8cm
西本願寺、京都

▶Q194
《柴門新月図》(部分)
玉畹梵芳等賛
1405(応永12)
紙本墨画　129.4×43.3cm
藤田美術館、大阪　国宝

Q195 能阿弥・芸阿弥・相阿弥らが美術史上で果たした役割はなんでしょう。

① 美術コーディネーターとして当時の文化の骨組みを築いた。
② 朝廷の専属絵師として、やまと絵を発展させた。
③ 僧でありながら、新仏教の造形を生み出した。
④ 画僧として京都で学んだ画風を鎌倉で広めた。

Q196 室町時代に興った、狩野派の始祖はだれですか。

① 永徳　② 元信
③ 正信　④ 探幽

Q197 下図《清水寺縁起絵巻》の作者はだれですか。

① 狩野正信　② 狩野元信
③ 土佐光信　④ 土佐光起

Q198 下図は雪舟が描いた山水図ですが、その季節はいつですか。

① 春　② 夏
③ 秋　④ 冬

Q199 室町時代後期、足利将軍家の御用を務めた蒔絵師の家はどれですか。

① 幸阿弥家　② 相阿弥家
③ 観阿弥・世阿弥家（観世家）　④ 能阿弥家

▶Q197

▶Q198

Q195 ①

能阿弥、芸阿弥、相阿弥は、将軍の側近くで雑務や芸能にたずさわった同朋衆の中でも、足利義満、義政に仕えた三代で、それぞれ画技にも優れていました。②は絵所預となった土佐派、③は東福寺で新しい仏画の造形を生み出した明兆、④は鎌倉五山の建長寺の画僧であった祥啓の功績です。祥啓は京都で芸阿弥から中国宋元絵画を規範とする絵画様式を学び、関東へ戻り中央画壇の画風を広めます。

Q196 ③

狩野派は、狩野正信を祖とする漢画系の流派です。足利義政の御用を務めた正信の跡を継いだ子の元信は、工房を主宰し、多量の作画依頼に応える制作方法を編み出します。幕府の御用を担うかたわら、朝廷から寺社、町衆に至る広い享受者層を獲得した元信は、狩野派隆盛の基盤を築きます。狩野派は以後約400年間、画壇に君臨しました。

Q197 ③

室町後期の画家である土佐光信は、室町前期に土佐行広が就任した、絵所預としての土佐派の基盤を確立した人物です。光信は、行広が得意とした柔らかい筆線と穏やかな彩色のやまと絵の世界に、漢画系の描法を採り入れたのです。《清水寺縁起絵巻》は、光信だけではなく息子である光茂の筆も混ざっているといいます。

Q198 ④

この作品は、雪舟による《秋冬山水図》2幅のうち、冬を主題にして描かれた1幅です。画面中央にすっと引かれ、途中で切られた縦線は抽象的ですらありますが、これこそが画面の構成を揺るぎないものにしています。《天橋立図》、《慧可断臂図》などとともに、雪舟の数少ない真筆と考えられている作品の1つです。

Q199 ①

幸阿弥家は室町時代後期から蒔絵制作を専門とする家系で、足利将軍家の御用を務めました。重文《桜山鵲蒔絵硯箱(さくらさんじゃくまきえすずりばこ)》は、幸阿弥家五代・宗伯の作です。幸阿弥家はその後も豊臣家、徳川家と時の為政者の御用を務め、江戸時代の終わりまで続きます。

画集や美術館サイトで作品をチェック!

▶Q197
土佐光信
《清水寺縁起絵巻》(中巻・部分)
1517(永正14)
紙本著色、全3巻　中巻33.9×1894.6cm
東京国立博物館　重文

▶Q198
雪舟等楊
《秋冬山水図》(冬景)
15世紀末−16世紀初期(室町時代)
紙本墨画、2幅　各47.7×30.2cm
東京国立博物館　国宝

06 近世美術1（桃山時代）

Q200 次の狩野永徳が描いた絵のうち、現存しないものはどれですか。

① 安土城障壁画　② 大徳寺聚光院襖絵
③《唐獅子図屏風》　④《洛中洛外図屏風》

Q201 下図は京都の智積院にある《楓図》という襖絵ですが、その作者はだれですか。

① 狩野永徳　② 狩野探幽
③ 本阿弥光悦　④ 長谷川等伯

Q202 次のうち、長谷川等伯の《松林図屏風》にあてはまる事項はどれですか。

① 現在、京都国立博物館が所蔵している。
② 作者は能登地方の出身である。
③ 二曲一双の屏風である。
④ 重要文化財に指定されている。

Q203 武家の出身で、建仁寺の大方丈の障壁画を描いた絵師はだれですか。

① 狩野山楽　② 海北友松
③ 雲谷等顔　④ 長谷川等伯

▶Q201

Q200 ①

狩野永徳は桃山時代に活躍し、その作品は織田信長や豊臣秀吉ゆかりの建造物の内部を飾りました。『信長公記』には、安土城障壁画の制作者として狩野永徳の名前が記されています。1582年の本能寺の変により安土城は焼失し、現在見ることはできませんが、金碧濃彩の豪奢なものだったようです。そのほか、永徳一門は大坂城、聚楽第などの障壁画を請け負いましたが、それらもすべて失われています。

Q201 ④

智積院は、もとを祥雲寺といい、1593年に豊臣秀吉が夭折した息子棄丸を弔うために造営したものです。その障壁画を担当したのが、長谷川等伯の一派でした。等伯というと、《松林図屏風》を思い浮かべる人も多いと思いますが、このように装飾的な作品を描いていたということを忘れてはならないでしょう。

Q202 ②

16世紀後半頃、長谷川等伯によって描かれた《松林図屏風》は、現在東京国立博物館が所蔵している国宝です。等伯は当時の能登国の出身で、京で活躍した絵師でした。墨の巧みな使い分けによる湿潤な大気と、速筆によるスピード感ある松林の表現は、牧谿(もっけい)の作品から学んだ等伯の、1つの達成を示すものでしょう。下絵として描かれたものを、屏風に仕立てたものではないかとも考えられています。

Q203 ②

海北友松は、狩野永徳や長谷川等伯と並ぶ桃山画壇の巨匠の1人です。近江浅井家の家臣の家に生まれ、幼少期を東福寺で過ごしました。主君とともに父が信長に滅ぼされ、還俗して狩野派に学び、絵師を目指したと伝えられています。永徳の死後に独自の画風を築き、建仁寺大方丈に描いた《山水図》《竹林七賢図》《雲龍図》などの障壁画や、妙心寺の巨大な屏風などはよく知られています。

画集や
美術館サイトで
作品をチェック!

▶Q201
長谷川等伯
《楓図襖壁貼付(旧祥雲寺障壁画)》

1592(天正20)頃
紙本金地著色、壁貼付全6面のうちの4面　各172.5×139.5cm
智積院、京都　国宝

Q 204 下図は茶の文化を代表する有名な茶室です。これを造ったのはだれですか。

① 千利休　② 村田珠光
③ 足利義政　④ 古田織部

Q 205 茶人・千利休の指導を受けながら、その好みを反映した楽茶碗を制作した陶工はだれですか。

① 道入　② 本阿弥光悦
③ 尾形乾山　④ 長次郎

Q 206 桃山時代、雪舟の画風に基づきながら一派をなし、毛利家に仕えた画家はだれですか。

① 雲谷等顔　② 海北友松
③ 長谷川等伯　④ 雪村周継

Q 207 豊臣秀吉とその妻・北政所を祀る御霊屋は、大胆で明快なデザインの蒔絵によって飾られています。その御霊屋があるのはどの寺院ですか。

① 南禅寺　② 高台寺
③ 智積院　④ 大徳寺

Q 208 下図は、1549年のザビエル来航以降に描かれた、異国情趣に富んだ屏風ですが、それらはなんと呼ばれていますか。

① 南蛮屏風　② 伴天連屏風
③ 阿蘭陀屏風　④ 唐物屏風

▶Q204

▶Q208

Q204 ①

織田信長や豊臣秀吉といった権力者に仕えながらも虚飾を嫌った千利休による「待庵」はわずか2畳という小ささです。利休は使用する道具においても独自の美意識を反映させ、陶工の長次郎には楽茶碗を作らせています。

Q205 ④

楽家の祖・長次郎は、千利休の指導のもと、侘び茶理論を造形化した「宗易(利休)形ノ茶ワン」を生み出します。轆轤(ろくろ)を使わず手づくねによって作られた少量生産による黒楽(《大黒》《俊寛》など)と赤楽(《無一物(むいちぶつ)》《二郎坊》など)の楽茶碗です。以後、楽茶碗は茶の湯の世界において特別な位置を占めることとなります。

Q206 ①

肥前(現佐賀県)の城主の子であった雲谷等顔は、中国地方の戦国大名・毛利輝元から雪舟のアトリエ「雲谷庵」を与えられ、雪舟画系の再興を命じられました。等顔は大徳寺内の黄梅院(おうばいいん)障壁画など、京都でも活躍します。その後も雲谷家は江戸時代を通じ、雪舟流の絵画をもって代々毛利家に仕えます。

Q207 ②

京都・高台寺の豊臣秀吉夫妻の御霊屋(みたまや)(1605年頃)は、伝統的な蒔絵とは異なるデザインの蒔絵によって飾られています。同じ高台寺には、重要文化財の《竹秋草蒔絵文庫》などの蒔絵調度もあります。それぞれの面を稲妻型に切って片身替わりにした斬新なデザインに、シンプルな技法で草花を表したおおらかで直接的な表現による蒔絵は、「高台寺蒔絵」と称されます。

Q208 ①

当時日本人は来船した西洋人のことを「南蛮人」と呼び、その異国文化を大変珍しがりました。こうした南蛮渡来の風俗を描いた「南蛮屏風」は、桃山時代から江戸時代初めにかけて盛んに制作されています。本作は、豊臣家の御用絵師、狩野内膳によって描かれたものです。南蛮人の丁寧な描写には、内膳の視覚体験が生かされていることでしょう。

画集や
美術館サイトで
作品をチェック!

▶Q204
待庵

16世紀後半
切妻造・柿葺　2畳
妙喜庵、京都　国宝

▶Q208
狩野内膳
《南蛮屏風》(左隻・部分)

16世紀末–17世紀初頭
紙本金地著色、六曲一双　各154.5×363.2cm
神戸市立博物館(池長孟コレクション)、兵庫　重文

近世美術2（江戸時代）

Q209 現在の栃木県日光市に徳川秀忠が建立した、家康を祀る建築物はなんといいますか。

① 日光東照宮　② 妙義神社
③ 上野東照宮　④ 霧島神宮

Q210 狩野探幽による下図の作品は、どの城郭の障壁画だったでしょうか。

① 江戸城　② 大坂城
③ 二条城　④ 名古屋城

Q211 下図は江戸時代初期の建造物で、のちにブルーノ・タウトが絶賛した「数奇」を象徴する建築ですが、その名称は次のうちどれですか。

① 三十三間堂　② 姫路城
③ 鹿苑寺金閣　④ 桂離宮

Q212 江戸時代初期の《風俗図（彦根屏風）》に関する説明で、まちがっているのはどれですか。

① 漢画の伝統的な主題である「琴棋書画」が描かれている。
② 作者は俵屋宗達である。
③ 能のストーリーが反映されているという説がある。
④ 現在、彦根城博物館に収蔵されている。

▶Q210

▶Q211

Q209 ①

日光東照宮は徳川家康を祀るため、1617年に家康の子である徳川家二代将軍秀忠によって建立されました。現在私たちが目にしているのは、1636年に三代家光によって建て直されたものです。日光東照宮の大きな特徴である豪奢な彫刻は、実在の動植物から想像上のものまで、和漢さまざまなモチーフが題材にされています。

Q210 ④

狩野永徳の孫・探幽は、徳川家康・秀忠・家光・家綱の四代の将軍に仕えた絵師です。以後、江戸時代を通じて狩野家は将軍家の御用絵師を務めます。探幽は1634年、徳川家光の上洛に備え新築された名古屋城上洛殿の障壁画を描きましたが、そこには桃山時代の豪壮華麗な様式とは異なる瀟洒で淡泊な新しい美意識が表されています。

Q211 ④

桂離宮は、17世紀初め、京都の桂に八条宮家の別荘として創建されました。ドイツ人建築家のブルーノ・タウトは、1939年に刊行された『日本美の再発見』の中で、桂離宮を「永遠なるもの」と絶賛しています。17世紀の中頃、後水尾上皇によって造営された修学院離宮とともに、数寄屋造を代表する建築として知られています。

Q212 ②

彦根城博物館に所蔵されている《風俗図(彦根屏風)》(17世紀)は、印章・落款がない、作者不明の作品です。しかし、確かな技術に裏打ちされており、狩野派絵師による密やかな仕事ではないかと考えられています。奥平俊六『絵は語る10 彦根屏風—無言劇の演出』(1996、平凡社)は、謎の多い《彦根屏風》を考察した最も重要な文献の1つです。

画集や
美術館サイトで
作品をチェック!

▶Q210
狩野探幽
《雪中梅竹遊禽図襖》

1634(寛永11)
紙本墨画淡彩金泥引、18面のうちの3面
各191.3×135.7cm
名古屋城(名古屋市)、愛知　重文

▶Q211
桂離宮御殿
(左から新御殿、中書院、古書院)

1616－63(元和2－寛文3)
宮内庁、京都

Q213 下図の《鶴図下絵和歌巻》は合作です。作者は俵屋宗達と、もう1人はだれですか。

① 松花堂昭乗　② 小野道風
③ 本阿弥光悦　④ 良寛

Q214 《風神雷神図屏風》は、江戸時代、ある画家たちによって描き継がれた絵画主題です。その画家群はどれでしょう。

① 土佐光則 — 土佐光起 — 土佐光成
② 俵屋宗達 — 尾形光琳 — 酒井抱一
③ 狩野光信 — 狩野探幽 — 狩野常信
④ 歌川豊春 — 歌川豊国 — 歌川国貞

Q215 日本の文人画を代表する画家・池大雅は何世紀に活躍したでしょうか。

① 14世紀　② 16世紀
③ 18世紀　④ 20世紀

Q216 それまでの中国の風景を描いた観念的な山水画ではなく、下図のような実際に目にした日本の風景を描いた新しい山水画をなんと呼びますか。

① 新景図　② 清景図
③ 真景図　④ 深景図

Q217 写生をもとにした新しい絵画により18世紀の京都で絶大な人気を得た、江戸時代の写生画派繁栄の礎を築いたのはだれですか。

① 伊藤若冲　② 円山応挙
③ 池大雅　④ 曾我蕭白

▶Q213

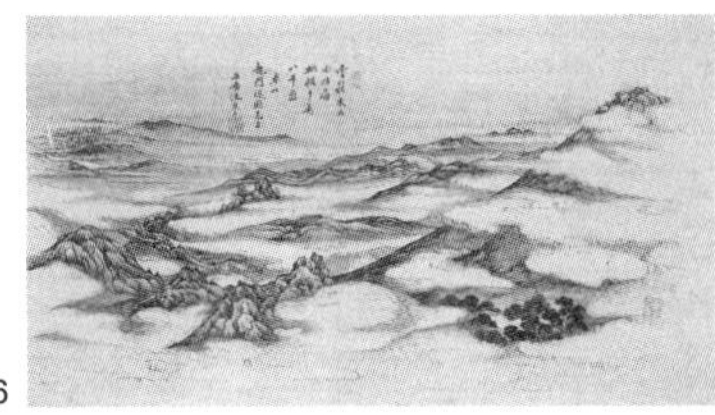
▶Q216

Q213 ③

本阿弥光悦は、刀剣の研ぎ・浄拭・鑑定を家職とする本阿弥家の分家に生まれました。近衛信尹、松花堂昭乗とともに寛永の三筆の1人ですが、蒔絵、陶芸も残しています。《鶴図下絵和歌巻》は、宗達が描いた千羽鶴の上に、光悦が三十六歌仙の和歌を散らした作品です。宗達の下絵に応じるように、臨場感のある書が展開されています。

Q214 ②

17世紀前半に活躍した俵屋宗達から尾形光琳、酒井抱一と続く琳派は、直接の師弟関係を持たず、時代を隔てながら私淑によって受け継がれた画派。とりわけ宗達の代表作《風神雷神図屏風》(建仁寺)は、琳派芸術の規範となり、光琳(東京国立博物館)、抱一(出光美術館)と、それぞれの個性を投影しながら写し継がれます。

Q215 ③

池大雅は江戸中期の文人画家。幼くして画才を輝かせ、柳沢淇園(きえん)ら初期文人画家たちより薫陶を受けます。大雅は文人画以外にも広く諸派の絵画を研究し、溌剌とした描線、鮮やかな色彩感覚、構築的な画面構成による文人画風(南画)を確立しました。文人画は、儒教的教養に対する共感を抱き、たとえ風景を前にしても心の中に内在するものを中心に描き出そうとした絵をいいます。

Q216 ③

真景図とは、東アジアの文人画(南宗画)に見られる概念で、観念上ではなく特定の場所の写生に基づいた山水画を指します。日本では池大雅をはじめとする文人画家たちによって広く試みられ、文人画論を著した桑山玉洲(ぎょくしゅう)らによって理論化されました。日本各地を旅した池大雅の《浅間山真景図》は、代表的な作品例です。

Q217 ②

円山応挙は若い頃、覗(のぞ)きからくりのための眼鏡絵を制作し、西洋の透視遠近法を体得するとともに、中国の古画や明清絵画にも学び、写生画風を確立します。伝統的な情趣や装飾性も備えた応挙の平明な写生画は、百花繚乱の18世紀京都画壇で一世を風靡しました。応挙には長沢芦雪ほか門人も多く、その門流は江戸後期京都画壇の最大流派・円山派を形成します。

画集や美術館サイトで作品をチェック!

▶Q213
本阿弥光悦・俵屋宗達
《鶴図下絵和歌巻》(部分)
17世紀(江戸時代)
紙本金銀泥　34.1×1356cm
京都国立博物館　重文

▶Q216
池大雅
《浅間山真景図》
18世紀(江戸時代)
紙本墨画淡彩　57.2×103cm
個人蔵　重文

Q218 伊藤若冲は、下図に代表される《動植綵絵》30幅と《釈迦三尊像》3幅を京都のある寺に寄進しました。その寺とはどこですか。

① 建長寺　② 神護寺
③ 相国寺　④ 禅林寺

Q219 18世紀京都の奇想の画家、曾我蕭白について述べたものはどれですか。

① 升目描きと呼ばれる、従来の技法を超えた手法を試みた。
② 円山・四条派を形成した。
③ 水墨の背景描写に極彩色の仙人たちを描いた作品がある。
④ 無量寺の襖絵として、奥から飛び出してくるような虎を描いた。

Q220 下図の洋風画を描いた画家はだれですか。

① 酒井抱一　② 小田野直武
③ 久隅守景　④ 浦上玉堂

Q221 次の浮世絵シリーズを制作年代が古い順に並べるとどれが正しいですか。

A. 歌川広重「名所江戸百景」　B. 喜多川歌麿「婦人相学十躰」
C. 葛飾北斎「冨嶽三十六景」　D. 鈴木春信「浮世美人寄花」

① A→B→C→D　② B→A→D→C
③ C→D→A→B　④ D→B→C→A

Q222 鈴木春信の解説として、ふさわしいものはどれですか。

① 木版本の挿絵から絵の部分を独立させ、新たな木版画の世界を拓いた。
② 伝統的な素材を用いながら、西洋画法を駆使した秋田蘭画を残した。
③ 錦絵の成立にもかかわり、中間色による瀟洒な作風で知られる。
④ 江戸時代後期に活躍し、武者絵で人気を集めた。

▶Q218

▶Q220

Q218 ③

伊藤若冲は京都の青物問屋の息子で、家業を離れて画業に専念しました。庭に鶏を放して写生に没頭したエピソードは有名です。その若冲が40代のときに、鋭い観察力と細密で濃厚な彩色技法で多様な動植物を描いた連作が《動植綵絵》です。18世紀には、若冲をはじめ個性的な画家たちが登場しました。異端ともされる彼らを積極的に評価し系統立てたのが、辻惟雄(つじのぶお)の『奇想の系譜』(初版1969年、美術出版社)です。

Q219 ③

奇想の画家・曾我蕭白は、数々の奇行や無頼、覇気に富んだ不遜な性格でも知られます。蕭白は、穏やかで平明な写生画により18世紀の京都画壇で一世を風靡した円山応挙について、「画(芸術的な画)を望まば我に乞うべし。絵図(実用的な絵)を求めんとならば円山主水(もんど)(応挙)よかるべし」と豪語したと、伝えられています。そんな蕭白ですが、純真無垢な池大雅とは仲が良く親しく交流をしました。

Q220 ②

幼少より絵の才能に恵まれた秋田藩士の小田野直武は、平賀源内に洋画の手ほどきを受け、洋風画派の1つ秋田蘭画の一角を担います。源内の友人である杉田玄白らが訳した『解体新書』では図版下絵を担当しました。

Q221 ④

浮世絵には肉筆によるものもありますが、より一般的に流通していたのは版画によるもの。17世紀には菱川師宣、18世紀には鈴木春信や喜多川歌麿が活躍し、19世紀に入ると葛飾北斎や歌川広重が名所絵のシリーズを発表しています。

Q222 ③

鈴木春信がかかわったとされる錦絵の誕生は18世紀後半です。江戸の風流人たちが行っていた絵暦(カレンダー)交換会が盛んになり、豪華な多色摺版画が作られるようになったことに由来します。錦絵は浮世絵版元による、その普及版のようなものでした。春信はやまと絵を意識したやわらかな色合いと柳腰の美人たちによる抒情に満ちた情景画で人気を博します。

画集や
美術館サイトで
作品をチェック!

▶Q218
伊藤若冲
《南天雄鶏図》(《動植綵絵》より)
1757−66(宝暦7−明和3)頃
絹本著色、全30幅 141.8〜142.9×79〜79.8cm
宮内庁 三の丸尚蔵館、東京

▶Q220
小田野直武
《不忍池図》
1770年代
絹本著色　98.5×132.5cm
秋田県立近代美術館　重文

Q223 幕末の浮世絵師・歌川国芳についての解説で正しいものはどれですか。

① 女性の心理を映し出した美人画に秀でた。
②《みかけハこハゐがとんだいゝ人だ》のような戯画や武者絵を得意とした。
③《東海道五十三次》をはじめとする風景画に本領を発揮した。
④ 写実的な役者絵で人気を博したが、わずか数カ月で制作をやめた。

Q224 浮世絵版画のプロデューサー的な役割を担ったのは、なんと呼ばれる人たちですか。

① 絵師　② 彫師
③ 摺師　④ 版元

Q225 茶人・金森宗和の指導で仁和寺の門前に窯を開き、色彩豊かな絵付茶陶を制作したのはだれですか。

① 古田織部　② 長次郎
③ 尾形乾山　④ 野々村仁清

Q226 「紅型」の説明として適切なものを選んでください。

① 江戸時代に完成された手描きで行われる模様染め。防染糊を駆使して多彩で絵画的な表現を生み出す。
② 沖縄に伝わる型染技法の1つ。白生地に型紙を使って防染用の糊を置き、模様部分を染料や顔料で着色する。
③ 金銀の箔や漆を置いた和紙を極細に裁断したものを経糸として用いる織物技法。佐賀藩の御殿女中たちの手芸として発達した。
④ 型紙を用いて布一面に繊細な文様を染め出す技法。江戸時代に武家の式服や裃などに用いられた。

Q227 下図の作品の、燕子花の「葉」の部分に用いられた技法はどれでしょう。

① 蒟醤（きんま）
② 螺鈿
③ 蒔絵
④ 平文

▶Q227

Q223 ②

歌川国芳は歌川豊国の弟子で、役者絵・美人画の歌川国貞、名所絵（風景画）の歌川広重とともに幕末浮世絵を牽引した浮世絵師です。『水滸伝』に取材した勇壮な武者絵や裸体の群像を組み合わせ、頑固親爺の顔に見立てた《みかけハこハゐがとんだいゝ人だ》のような奇想天外な戯画、世相を鋭く皮肉った風刺画を描き、江戸市民に強く支持されました。

Q224 ④

浮世絵版画は絵師と彫師（ほりし）、摺師（すりし）による共同作業です。これらの工程を統括する役割を負ったのが版元です。版元はまず絵の題材を決定して絵師を選考し、絵師・彫師・摺師を監督しながら版画を作成、完成後はそれらを販売しました。「蔦重（つたじゅう）」こと蔦屋重三郎（1750－97）は代表的な版元で、喜多川歌麿や葛飾北斎、東洲斎写楽などの絵師を抱え、歌麿や写楽の才能を発掘、大首絵を開発して描かせた人物です。

Q225 ④

仁和寺門前に御室焼を開いた野々村仁清は《色絵藤花文茶壺》に代表されるように、器物という立体的画面を活かした、金銀彩を交えた色絵による華麗な絵画的装飾で知られます。同時に大きな作品を均一な薄さで成形する大胆かつ繊細なろくろの技術から、国宝《色絵雉香炉》（石川県立美術館）などに見られる彫塑的表現まで造形力でも評価されています。尾形乾山の作陶の師でもありました。

Q226 ②

紅型は日本と中国の技法の相互交流によって発展し、上級官僚の衣服として18世紀頃に隆盛を極めました。模様部分を染めたのち、そこに糊伏せ（防染の工程）をして地色を染める複雑な工程を経て作られます。同じく型染の江戸小紋とともに繰り返される文様の面白さを生み出す技法で、絵画のような自由に絵柄を表現する友禅とは対照的といえます。経糸に用いられた金銀糸がきらめく佐賀錦は織の技法の1つです。

Q227 ③

漆の木の樹液を原料にした漆は、塗料としてだけではなく、その粘着性を生かして多様な装飾技法に用いられました。漆で文様を描き、乾かないうちに金や銀などの金属粉や顔料の粉（色粉）を蒔きつけ、付着させて文様を生み出す蒔絵は最も代表的なものです。ほかにも鮑貝や夜光貝の輝く真珠層を形に切って貼り付ける螺鈿、金属の薄板を貼り付ける平文、色漆を埋め込む蒟醤などがあります。

画集や
美術館サイトで
作品をチェック！

▶Q227
尾形光琳
《八橋蒔絵螺鈿硯箱》
18世紀（江戸時代）
木製漆塗　27.3×19.7×高さ14.2cm
東京国立博物館　国宝

近代と現代の美術1（明治時代）

Q 228 日本洋画の創始者とされる高橋由一について述べたものはどれですか。

① 東京美術学校の初代校長を務めた。
② フランスに留学した。
③ 代表作に《鮭》《豆腐》《花魁図》などがある。
④ シーボルトの助手を務めた。

Q 229 『イラストレイテッド・ロンドン・ニューズ』の特派員として来日し、多くの日本人に洋画の基礎を教授したのは、次のうちのだれですか。

① アーネスト・サトウ　② チャールズ・ワーグマン
③ ジョルジュ・ビゴー　④ ジョサイア・コンドル

Q 230 明治時代に木版画・石版画に手を染め、江戸へのノスタルジーを込めつつ、下図のような維新後の東京の新風景を描いた版画家はだれですか。

① 河鍋暁斎　② 橋口五葉
③ 小林清親　④ 林忠正

Q 231 明治初頭に外国人教師を招いて、西洋美術を初めて本格的に教授した美術学校の名前はどれでしょう。

① 天絵楼　② 御学問所
③ 工部美術学校　④ 東京美術学校

▶Q230

Q228 ③

江戸時代に生まれた高橋由一は、初め狩野派を学びますが、蕃書調所(ばんしょしらべしょ)画学局やチャールズ・ワーグマンのもとで油絵を学んだ後に、1873年に日本橋浜町に画塾天絵楼(てんかいろう)(のちに天絵舎、天絵学舎と改称)を開き、84年まで後進を育てました。その中には《靴屋の親爺》《騎龍観音》で知られる原田直次郎や、のちに日本画家となった川端玉章などがいます。鮭を描いた作品は全部で7点残っています。

Q229 ②

幕末から明治初期に横浜で風刺雑誌『ジャパン・パンチ』を発行していた挿絵画家ワーグマンのもとには、五姓田義松や高橋由一、山本芳翠など西洋画を学ぼうとする多くの画家が訪れました。ワーグマンは彼らに油絵の技術を教え、日本近代洋画の成立に重要な役割を果たしました。

Q230 ③

小林清親は明治維新後、ワーグマンに油絵、さらに河鍋暁斎に日本画、柴田是真に漆絵を学びました。1876年から81年にかけて発表した風景版画シリーズ《東京名所図》は、従来の浮世絵に西洋画の遠近法や陰影表現を採り入れ、「光線画」として人気を集めました。

Q231 ③

工部美術学校は1876年開校。画家フォンタネージ、彫刻家ラグーザ、そして建築家カペレッティらが招かれてここで教鞭を執り、日本では初めての本格的な西洋美術の教育が行われました。

画集や
美術館サイトで
作品をチェック!

▶Q230
小林清親
《九段坂五月夜》
1880(明治13)
木版　横大判錦絵
ボストン美術館

Q232 Q231の学校で画学を教えたイタリア人画家はだれですか。

① ラグーザ
② フランク・ロイド・ライト
③ モース
④ フォンタネージ

Q233 次のうち、東京美術学校に関する説明で、正しいものはどれですか。

① 1889年に開校した。
② 日本画科と西洋画科は開校当初から設けられた。
③ 狩野芳崖が日本画の授業を担当した。
④ フェノロサが初代校長を務めた。

Q234 下図の絵を描いたのはだれですか。

① 上村松園
② 黒田清輝
③ 土田麦僊
④ 竹内栖鳳

Q235 1896年に、黒田清輝や久米桂一郎らが結成した洋画の団体名はどれですか。

① 黒馬会
② 縞馬会
③ 子馬会
④ 白馬会

Q236 1907年に設立された日本最初の官展の名称はなんですか。

① 日展（日本美術展覧会）
② 文展（文部省美術展覧会）
③ 帝展（帝国美術展覧会）
④ 新文展

▶Q234

Q232 ④

フォンタネージはフランスでバルビゾン派の画家たちと交流を持ち、19世紀のイタリアを代表する風景画家となります。1876年に来日、工部美術学校で教鞭を執り浅井忠や小山正太郎を教えています。

Q233 ①

東京美術学校は1887年に設立、89年に開校しました。開校当時は日本画、木彫、工芸のみを教え、1896年に西洋画科と図案科が新設されます。狩野芳崖は日本画を教える予定でしたが、開校直前に亡くなりました。代わって日本画を教授したのは、橋本雅邦です。雅邦は、横山大観や菱田春草など、のちに画壇を牽引する日本画家を数多く育てました。また、事実上の初代校長は、1890年に就任した岡倉覚三(天心)です。

Q234 ②

法律を学ぶためパリに渡った黒田清輝はやがて絵の道を志すようになり、印象派から学んだ明るい外光表現は、帰国時に大きな驚嘆をもって迎えられました。上村松園、土田麦僊、竹内栖鳳は日本画家として知られています。

Q235 ④

白馬会結成の中心となったのは、明治美術会を脱退した画家たちです。外光派(新派・紫派)とも呼ばれる彼らの印象派的な作風に対し、明治美術会の主流であった写実的な描写と褐色系の暗い色調は脂(やに)派(旧派)と揶揄されるようになりました。白馬会は明治美術会に代わって明治後半期の洋画の中心的な団体となり、洋画研究所を設けて後進を育成するなど洋画の普及に貢献しました。

Q236 ②

1907年に設立された文展は「帝国美術展覧会(帝展)」、「文部省美術展覧会(新文展)」となり、戦後は「文部省主催日本美術展覧会(日展)」となります。1958年には社団法人の運営となりますが、官展時代の日展に対してこれを新日展と称する場合もあります。

画集や
美術館サイトで
作品をチェック!

▶Q234
黒田清輝
《舞妓》

1893(明治26)
油彩・キャンヴァス　81×65.2cm
東京国立博物館(黒田記念館)　重文

Q 237 《海の幸》などを描き、明治浪漫主義を代表する画家となったのはだれですか。

① 黒田清輝　② 青木繁
③ 藤島武二　④ 和田三造

Q 238 下図のような「朦朧体」と酷評された画風の日本画を描いた画家はだれですか。

① 高村光雲　② 岸田劉生
③ 横山大観　④ 竹久夢二

Q 239 日本美術院で横山大観らと日本画を研究した画家はだれですか。

① 菱田春草　② 河鍋暁斎
③ 前田青邨　④ 竹内栖鳳

Q 240 下図の鹿鳴館を設計した建築家はだれですか。

① カペレッティ　② ラグーザ
③ フランク・ロイド・ライト　④ コンドル

Q 241 1896年に完成したルネサンス様式の日本銀行本店を設計したのはだれですか。

① コンドル　② 片山東熊
③ アンダーソン　④ 辰野金吾

▶Q238

▶Q240

Q237 ②

青木繁は、東京美術学校で黒田清輝から油絵を学びました。在学中からラファエル前派などに興味を持ち、藤島武二にも影響を受けました。掲載した作品のほか、《わだつみのいろこの宮》など、明治浪漫主義的な画風で注目を浴びますが、恋愛と放浪と貧困の中、29歳の若さで亡くなりました。

Q238 ③

「朦朧体(もうろうたい)」は、横山大観や菱田春草ら日本美術院の画家が用いたぼかしの技法に対する言葉です。大観らは墨の濃淡によって空気や光線を描こうとしたのですが、線の曖昧さが非難されました。絵は描くものなのか、塗るものなのか、という問題が横たわっていたといえるでしょう。

Q239 ①

菱田春草は、岡倉天心が中心となって設立した日本美術院で、伝統を発展的に継承する、新しい時代の日本画を目指した画家の1人です。30代で早逝しますが、晩年には独自の装飾的な画風を示しました。

Q240 ④

イギリス人の建築家ジョサイア・コンドルは、工部省工学寮造家学科(工部大学校。現在の東京大学工学部の前身)で教鞭を執るために来日しました。「お雇い外国人」の1人であるコンドルは、現存する建築では「三井倶楽部」や「旧岩崎邸庭園洋館」などを設計しています。また、絵師の河鍋暁斎に日本の絵画を学びました。

Q241 ④

辰野金吾はイギリスでコンドルの師バージェスのもとで働き、のちに東京駅、奈良ホテルなどを設計しました。辰野と同時代に活躍した建築家には、東京国立博物館表慶館を設計した片山東熊がいます。

画集や
美術館サイトで
作品をチェック!

▶Q238
横山大観
《生々流転》(部分)
1923(大正12)
絹本墨画、画巻・1巻　55.3×4070cm
東京国立近代美術館　重文

▶Q240
ジョサイア・コンドル
鹿鳴館
1883(明治16)(現存せず)
東京

近代と現代の美術2（大正・昭和時代〜1945）

Q242 高村光太郎が、個性的表現を主張した評論の題名はどれですか。

①「緑色の太陽」　②「朱色の太陽」
③「白色の大地」　④「黄色の曙」

Q243 次のうち、大正時代の美術界の動きとして起きたことはどれですか。

① 日本画滅亡論が叫ばれる。
② ヒュウザン会（のちにフュウザン会と改称）が結成される。
③ 白馬会が結成される。
④ 戦争記録画が制作される。

Q244 1912年に「ヒュウザン会（のちにフュウザン会と改称）」を結成した画家で、下図を描いたのはだれですか。

① 中原悌二郎　② 中村彝
③ 岸田劉生　④ 小出楢重

Q245 安井曾太郎、小出楢重、東郷青児などが活躍した、1914年結成の美術団体はどれですか。

① 二科会　② 再興院展
③ 草土社　④ 国画創作協会

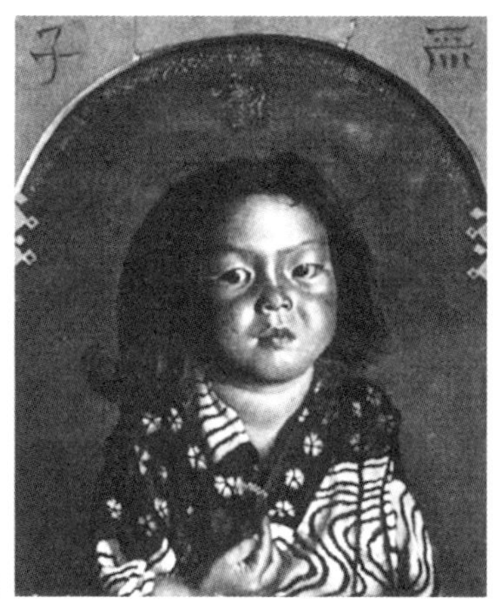

▶Q244

Q242 ①

高村光太郎は彫刻家・高村光雲の子として東京に生まれました。1910年に雑誌『スバル』に発表した「緑色の太陽」は、日本におけるフォーヴィスム宣言ともいえる論文で、同時代の画家たちに大きな影響を与えました。

Q243 ②

大正デモクラシーの自由主義的風潮は美術界にも影響をおよぼし、若い美術家たちが自我の確立と個性の尊重を主張しました。文展の官製アカデミズムに対抗した二科会、再興院展、ヒュウザン会(フュウザン会)や、前衛美術運動であるアクション、三科など、大小さまざまなグループが興りました。

Q244 ③

ヒュウザン会(フュウザン会)は、大正初期に斎藤与里、岸田劉生らが発起人となって結成したグループです。斎藤と岸田の確執によってわずか2回の展覧会開催で解散しますが、ポスト印象主義やフォーヴィスムの影響を強く受けた反アカデミックな彼らの動きは、大正時代に引き継がれていきます。萬鐵五郎、高村光太郎、川上涼花らが参加しました。

Q245 ①

官展である文展に反発して、独立した美術団体の1つが二科会です。若手やヨーロッパから帰国した洋画家たちが集まり、新しい西洋美術の流れを汲んだ作品を発表しました。彼らの作品は、フランス美術のショーウィンドーのようだともいわれました。

画集や
美術館サイトで
作品をチェック!

▶Q244
岸田劉生
《麗子肖像(麗子五歳之像)》
1918(大正7)
油彩・キャンヴァス　45.3×38cm
東京国立近代美術館

Q246 「国画創作協会」は、大正時代に京都の日本画家を中心に結成された日本画の団体です。そのメンバーで下図を描いた画家を選んでください。

① 村上華岳　② 今村紫紅
③ 小杉放菴　④ 小林古径

Q247 大正末に結成された「1930年協会」に所属した画家はだれですか。

① 梅原龍三郎　② 東郷青児
③ 萬鐵五郎　④ 佐伯祐三

Q248 高村光太郎や荻原守衛ら大正期の日本の彫刻家に大きな影響を与えた、西洋の彫刻家はだれですか。

① ミケランジェロ　② カノーヴァ
③ ベルニーニ　④ ロダン

Q249 雑誌『月映』の創刊メンバーの1人で、抽象的な版画作品で創作版画を切り拓いた作家はだれですか。

① 竹久夢二　② 山本鼎
③ 川瀬巴水　④ 恩地孝四郎

Q250 「民藝」(=民衆の工芸品)という言葉を造語し、民藝運動を提唱した評論家はだれですか。

① 柳宗悦
② 岡倉天心
③ 森鷗外
④ 夏目漱石

▶Q246

Q246 ①

国画創作協会は、土田麦僊、村上華岳が中心となり、1918年に京都の新進日本画家たちによって結成された団体です。1926年には洋画家の梅原龍三郎を迎え、洋画部門である第二部が設置されますが、1928年に解散しました。第二部は国画会と改称し、現在まで続いています。

Q247 ④

1930年協会は、ヨーロッパ留学の経験を持つ里見勝蔵、前田寛治、佐伯祐三らが1926年に結成した美術団体です。展覧会ではフォーヴィスムの傾向を示す作品が多く発表されました。くしくも1930年に解散し、主要な画家の多くは同年結成された独立美術協会に参加しました。

Q248 ④

近代彫刻の開拓者であるロダンの内面性を重視した表現は雑誌『白樺』などを通じて早くから日本に紹介され、若い芸術家に衝撃を与えました。絵画を学んでいた荻原守衛は留学中にロダンの作品に感銘を受け彫刻に転じ、高村光太郎は『ロダンの言葉』を翻訳・編集しました。

Q249 ④

恩地孝四郎は、日本の抽象美術の先駆者で、近代版画の確立と普及をリードした存在です。東京美術学校で洋画や彫刻を学んだ後、竹久夢二の影響を受け仲間たちと詩と版画の雑誌『月映』を創刊します。北原白秋、萩原朔太郎、室生犀星らの著書の装丁や挿絵でも活躍しました。晩年は、抒情性に富んだ作風から純粋な抽象表現に傾倒してゆきました。

Q250 ①

「民藝」は、無名の職人たちが民衆の日常生活のために作った実用品を指す言葉として、柳宗悦や河井寛次郎らによって作られた言葉です。彼らは、それまで美の対象ではなかった日用品に、美を見出したのです。日本民藝館は、民藝運動の拠点として柳らによって企画、賛同者の援助を得ることで1936年に開設されました。

画集や
美術館サイトで
作品をチェック！

▶Q246
村上華岳
《裸婦図》
1920(大正9)
絹本彩色　163.6×109.1cm
山種美術館、東京　重文

Q251 大正から昭和初期の院展を代表する画家で、《炎舞》の作者はだれですか。

① 鏑木清方　② 速水御舟
③ 安田靫彦　④ 上村松園

Q252 1922年に神原泰らが二科展から独立して組織した美術団体はどれですか。

① マヴォ　② 日本プロレタリア美術家同盟
③ 三科造形美術協会　④ アクション

Q253 下図のような作品が描かれたのは、おもにどの美術運動の影響によるものですか。

① ダダ　② 未来派
③ シュルレアリスム　④ ロシア構成主義

Q254 下図の作者は、安井曾太郎とともに日本における洋画の発展に大きな役割を果たしました。だれですか。

① 梅原龍三郎　② 佐伯祐三
③ 藤田嗣治　④ 宮本三郎

Q255 第二次世界大戦前にパリで成功を収め、戦時中に《アッツ島玉砕》などの戦争画を描いた画家はだれですか。

① 岡本太郎　② 横山大観
③ 藤田嗣治　④ 小磯良平

▶Q253

▶Q254

Q251 ②

速水御舟は院展で活躍した日本画家の1人です。20代前半は、兄弟子今村紫紅の影響を受け、明るい画風の絵を描いていました。西洋絵画の動向にも敏感だった御舟は、20代後半になると、デューラーの影響や象徴主義の影響が伝わる画風へと変わります。炎に群がる蛾の妖しさを表現した《炎舞》は、そうした傾向を集約した代表作といわれています。

Q252 ④

カンディンスキーとも親交があり、ロシア革命を避けて来日したロシア未来派のブルリュークの指導によって、日本の前衛美術運動が活気づきます。神原や矢部友衛、岡本唐貴らによって、1922年に「アクション」が結成されました。神原の《スクリアビンの〈エクスタシーの詩〉に題す》には、音楽と絵画を同等に扱ったカンディンスキーの影響が見られます。

Q253 ③

シュルレアリスムは、評論家で翻訳家の瀧口修造と画家の福沢一郎らによって、日本にもたらされました。古賀春江や三岸好太郎らは大きな影響を受け、幻想的で独創的な絵画を制作しました。1932年には巴里東京新興美術同盟展で、キュビスムやシュルレアリスム、抽象絵画などの前衛美術が紹介され、若い作家たちに刺激を与えます。しかし、思想や社会と深く結びついたシュルレアリスム運動は、まもなく弾圧を受けるようになりました。

Q254 ①

梅原龍三郎は、安井曾太郎とともに浅井忠のもとで学んだ後、渡仏し、ルノワールに師事しました。《紫禁城》に見られる奔放なタッチと鮮やかな色彩は、明治期になって初めて本格的に教授された日本式油絵の、1つの達成といえるでしょう。

Q255 ③

藤田嗣治(レオナール・フジタ)は、「乳白色の肌」と呼ばれる独特な技法で描いた裸婦像や猫の作品で有名ですが、戦争画では古典的で写実性の強い作風となっています。藤田は戦後再びパリに移り、以後日本に戻ることはありませんでした。

画集や
美術館サイトで
作品をチェック!

▶Q253
三岸好太郎
《海と射光》
1934(昭和9)
油彩・キャンヴァス　162×130.8cm
福岡市美術館

▶Q254
梅原龍三郎
《紫禁城》
1940(昭和15)
油彩・紙　115×90cm
大原美術館、岡山

10 近代と現代の美術3（昭和時代　1945～1970年代）

Q256 下図の作品を描いたのはだれですか。

① 浜田知明　② 北脇昇
③ 鶴岡政男　④ 香月泰男

Q257 丸木位里･俊夫妻が戦争体験から描き、1950年に発表した作品のタイトルはどれですか。

①《重い手》　②《告別》
③《初年兵哀歌》　④《原爆の図》

Q258 次のうち、日展を生涯の活躍の場とし、下図などで知られる日本画家はだれですか。

① 東山魁夷　② 中村正義
③ 小倉遊亀　④ 平山郁夫

Q259 1951年に結成された「実験工房」に参加した造形作家はだれですか。

① 白髪一雄　② 菅井汲
③ 山口勝弘　④ 荒川修作

▶Q256

▶Q258

Q256 ②

北脇昇は愛知県名古屋市出身の画家ですが、少年時代に京都に移り、亡くなるまでほぼ同地で過ごしました。北脇は、第二次世界大戦前からシュルレアリスムの影響を受け、幻想的な画風を築いた画家です。1949年に描かれた《クォ・ヴァディス》では、画中の岐路に立つ人物に、当時の日本社会の状況や画家の心情を重ねてみることができるかもしれません。

Q257 ④

丸木夫妻の連作《原爆の図》は想像を絶する大量殺戮の記録画です。亡霊のようにさまよう被爆者の姿は、画家たちがとらえた現代の地獄絵ともいわれています。また、夫妻はこのシリーズ作品をいつでも鑑賞できるよう、1967年、埼玉県に「原爆の図丸木美術館」を開館しました。

Q258 ①

東山魁夷は、生涯日展を活躍の舞台にした日本画家です。同世代の日展人気作家には杉山寧、高山辰雄もいます。3人は姓に「山」があることから「三山」と呼ばれ、戦後の日本画壇を牽引しました。中村正義は、日展の重鎮・中村岳陵に師事し、22歳で日展に初入選しますが、1961年に日展を脱退。以後個展を中心に、日本画の既成概念を超越した作品を発表しました。ほかの2人は院展で活躍しました。

Q259 ③

「実験工房」は、造形作家の山口勝弘ら「七曜会」と、音楽家の武満徹や評論家の秋山邦晴らが合流して結成した、総合芸術の実験を推進したグループです。瀧口修造が命名しました。1951年、ピカソ展の前夜祭としてのバレエ公演が第1作となり、その後舞台や映画など幅広い分野で共同制作を行いました。

画集や美術館サイトで作品をチェック!

▶Q256
北脇昇
《クォ・ヴァディス》
1949(昭和24)
油彩・キャンヴァス　91×117cm
東京国立近代美術館

▶Q258
東山魁夷
《道》
1950(昭和25)
絹本彩色　134.4×102.2cm
東京国立近代美術館

Q260 吉原治良を中心に、1954年に発足した関西の前衛芸術グループは、次のうちのどれですか。

① ゼロ次元　② 具体美術協会
③ 時間派　④ 昭和30年会

Q261 ミシェル・タピエが高く評価するなど、海外からも注目を浴びた下図の作者はだれですか。

① 白髪一雄　② 元永定正
③ 菅井汲　④ 斎藤義重

Q262 1960年代にニューヨークを中心に展開した芸術運動「フルクサス」のメンバーだったアーティストはだれですか。

① 草間彌生　② 多田美波
③ 田中敦子　④ オノ・ヨーコ

Q263 反芸術に関係する次の作家と代表的な作品の組み合わせで、正しいものはどれですか。

① 赤瀬川原平 ―《洗濯バサミは攪拌行動を主張する》
② 中西夏之 ―《耳》
③ 三木富雄 ―《宇宙の缶詰》
④ 工藤哲巳 ―《増殖性連鎖反応》

Q264 ハイレッド・センターの中心メンバーは3人です。高松次郎と赤瀬川原平ともう1人はだれですか。

① 中ザワヒデキ
② 中西夏之
③ 中村政人
④ 中川一政

▶Q261

Q260 ②

1954年に関西で結成された具体美術協会は、吉原治良の指導のもと、従来の素材や表現にとらわれない実験的な試みが推奨された前衛芸術集団です。足で絵を描く白髪一雄や、電球の付いた服を着る田中敦子など、今でいうパフォーマンスやインスタレーションを先取りするものでした。また、機関誌『具体』を発刊し海外に送るなど、国際的にも注目を集めましたが、1972年、吉原の死により解散しています。

Q261 ④

斎藤義重は厳格な軍人家庭に生まれますが、少年時代にロシア未来派の展覧会に影響を受け、戦前から前衛芸術を模索するようになりました。1930年代には絵画の枠組みを超えた、立体的な作品を志向します。1950年代後半から日本国際美術展(東京ビエンナーレ)での受賞をはじめ、国際的にも注目されるようになりました。また、多摩美術大学で教鞭を執り、斎藤教室からはもの派の関根伸夫や菅木志雄など多くの現代美術家が巣立ちます。

Q262 ④

フルクサスは、1960年代にドイツで結成され、のちにニューヨークを中心に展開した芸術運動です。詩や音楽を交えたパフォーマンスは「イヴェント」と称され、日常的な場所を芸術表現のための場とするような活動を数多く行いました。オノ・ヨーコもメンバーの1人でした。

Q263 ④

「反芸術」は既存の美術への根本的な問いかけや新たな問題を提起しようとする芸術傾向を指します。日本ではとくに「読売アンデパンダン」展出品の反社会的な表現や過激化した芸術家たちのパフォーマンスに対して多く使われます。ほかの選択肢の正しい組み合わせは、赤瀬川原平《宇宙の缶詰》、中西夏之《洗濯バサミは攪拌行動を主張する》、三木富雄《耳》です。

Q264 ②

中西夏之が赤瀬川原平、高松次郎とともにハイレッド・センターを結成したのは1963年のことでした。ハイレッド・センターという名称はこの3人の氏名の最初の文字を英語にして組み合わせたものです。

画集や
美術館サイトで
作品をチェック!

▶Q261
斎藤義重
《鬼》
1957(昭和32)
油彩・合板　145×112.5cm
神奈川県立近代美術館

Q 265 戦後日本の前衛美術の発表拠点として知られてきたものの、1964年に急遽開催が中止されてしまった展覧会はどれですか。

① 日本美術展覧会　② 現代日本美術展
③ 読売アンデパンダン展　④ 日本国際美術展

Q 266 「日付絵画」で知られる美術家はだれですか。

① 荒川修作　② 河原温
③ 松澤宥　④ 高松次郎

Q 267 下図の作品《位相—大地》を発表したのはだれですか。

① 菅木志雄　② 李禹煥
③ 関根伸夫　④ 小清水漸

Q 268 下図の作品に使われている素材はなんですか。

① 鉄　② 石とガラス
③ 油絵具とキャンヴァス　④ 木

Q 269 《ザムザ氏の散歩》をはじめとしたオブジェ焼きで、やきものの伝統と現代美術をつないだ作家はだれですか。

① 濱田庄司　② 加山又造
③ 荒川豊蔵　④ 八木一夫

▶Q267

▶Q268

Q265 ③

読売新聞社主催のもと、「日本アンデパンダン」展として1949年に東京都美術館で始まったものの、日本美術協会主催の同名の展覧会からの抗議を受け、1957年改称。無審査公募展として人気を博しましたが、年々作品が過激化し、1963年の第15回を最後に打ち切られます。美術評論家の東野芳明が、出品作品を「反芸術」という言葉で評しました。

Q266 ②

河原温は1950年代、身体がバラバラになった人間を浴室の中に描いた「浴室」シリーズを発表し、注目されました。1965年にニューヨークに拠点を移してからは、一転してコンセプチュアルな作品を制作しました。この作品「日付絵画」シリーズは、河原温が1966年から亡くなるまで続けた、日付だけを描いた作品です。

Q267 ③

関根伸夫は1968年10月、神戸市須磨離宮公園で行われた第1回現代野外彫刻展で、友人とともに会場である公園に円形の穴を掘り、そこから出た土を用いて、同形の円柱を立てました。《位相―大地》と名付けられたこの作品は、周囲に衝撃を与え、朝日新聞社賞を受賞します。「もの派」の記念碑的作品と考えられています。

Q268 ②

李禹煥は、1970年代に興隆したもの派の代表的な作家です。1972年に発表した《関係項》に用いたのは、自然の石とガラスの板でした。もの派は、「つくらない」要素を作品に採り入れることを重視しました。それは、作家が作品全体をコントロールするのではなく、作家がつくることができない自然物や産業用資材などと場、鑑賞者を結びつけていくことを目指したからでした。

Q269 ④

八木一夫は、京都出身の陶芸家です。1937年に京都市立美術工芸学校彫刻科を卒業後、陶芸に専念しました。1948年から走泥社を主宰し、伝統にとらわれない自由な陶芸を目指します。オブジェ焼きという新分野を拓き、海外でも高く評価されました。①の濱田は民藝を代表する陶芸家、③の荒川は桃山時代の志野焼や瀬戸焼などの復興に尽力した大正・昭和の陶芸家です。②の加山は「現代の琳派」ともいわれた日本画家です。

画集や
美術館サイトで
作品をチェック!

▶Q267
関根伸夫
《位相―大地》(第1回神戸市須磨離宮公園現代野外彫刻展での展示)
1968(昭和43)
土　直径220×高さ(深さ)270cm
兵庫

▶Q268
李禹煥
《関係項》
1972(昭和47)、1978(昭和53)再制作
石・ガラス　25.7×33.4cm

Q 270 下図のポスターはだれのデザインによるものですか。

① 日比野克彦　② 粟津潔
③ 亀倉雄策　④ 横尾忠則

Q 271 下図は1960年代にグラフィック・デザイナーとして一世を風靡し、1981年に画家に転身したアーティストのポスターですが、そのアーティストとはだれですか。

① 日比野克彦　② 和田誠
③ 横尾忠則　④ 赤瀬川原平

Q 272 1951年に開館した、神奈川県立近代美術館（鎌倉館）を設計した建築家はだれですか。

① 坂倉準三　② 丹下健三
③ 黒川紀章　④ 磯崎新

Q 273 1970年の日本万国博覧会に関係する組み合わせのうち、まちがっているのはどれですか。

① 岡本太郎 — 太陽の塔　② 谷口吉郎 — お祭り広場
③ 菊竹清訓 — エキスポタワー　④ 山口勝弘 — 三井グループ館

Q 274 戦前、戦後を通じてリアリズムにこだわり、のちに写真集『古寺巡礼』に見られるような、日本の伝統文化を独特の視点で切り取った写真家はだれですか。

① 木村伊兵衛　② 土門拳
③ 荒木経惟　④ 中平卓馬

▶Q270

▶Q271

Q270 ③

亀倉雄策は戦後日本を代表するグラフィック・デザイナーで、写真を使ったポスターなどの名作を残しています。1964年開催の東京オリンピックではポスターとあわせ、シンボルマークも制作しました。また、同オリンピックには、聖火リレー用トーチのデザインは柳宗理、参加メダルのデザインには岡本太郎といったクリエイターが多く参加しています。

Q271 ③

横尾忠則は、1960年代から70年代にかけて、唐十郎や寺山修司、土方巽などのアングラ・ポスターを多数手がけました。コラージュをもとにした鮮烈なグラフィック・デザインが特徴ですが、それらの手法は、「画家宣言」をしてからの絵画制作にも用いられています。文筆家としての一面もあり、多くの著作があります。

Q272 ①

坂倉準三は、ル・コルビュジエに師事し、1937年のパリ万博日本館の設計で、建設部門グランプリを受賞した建築家です。神奈川県立近代美術館旧鎌倉館は、日本のモダニズム建築の代表例とされています。老朽化と土地の賃借契約満了のため、2016年に閉館となりましたが、2019年に鎌倉文華館 鶴岡ミュージアムとしてリニューアルオープンしました。

Q273 ②

日本万国博覧会（通称「大阪万博」）は、1970年に「人類の進歩と調和」をテーマとして開催され、総入場者数約6600万人を集めました。この会場の総合設計を行ったのが、建築家の丹下健三です。その丹下設計の「大屋根」を突き抜けて《太陽の塔》を立たせる岡本のプランは、当初丹下と激しく対立したといいます。

Q274 ②

徹底してリアリズムにこだわった土門は、第二次世界大戦前から日本工房などで宣伝グラフ誌のための報道写真を撮影します。戦後はライフワークである『室生寺』の写真集や広島の現状を1冊にまとめた写真集『ヒロシマ』などを出版し、数々の写真賞を受賞しました。

画集や美術館サイトで作品をチェック！

▶Q270
亀倉雄策《第18回オリンピック競技大会（東京）》ポスター
1962（昭和37）
グラビア印刷　104×73cm
フォトディレクター＝村越襄、写真＝早崎治
武蔵野美術大学美術館・図書館、東京

▶Q271
横尾忠則《劇団状況劇場「ジョン・シルバー　新宿恋しや夜鳴き篇」》ポスター
1967（昭和42）
シルクスクリーン　102.7×74.6cm
国立国際美術館、大阪

合格者オススメのアートの本！

よくある技法解説書じゃなくて、
グッとくる美術の技法書ってないのかなぁ。

『絵画の歴史　洞窟壁画から
iPadまで』を読むしかない！

A HISTORY
OF PICTURES
絵画の歴史
洞窟壁画からiPadまで
〈増補普及版〉
デイヴィッド・ホックニー
&
マーティン・ゲイフォード
FROM THE CAVE TO THE
COMPUTER SCREEN
SEIGENSHA

**作家の視点と対話形式が
“もっと知りたい”をアゲアゲに！**

デイヴィッド・ホックニー、
マーティン・ゲイフォード 著
木下哲夫 訳
『絵画の歴史　洞窟壁画から
iPadまで』〈増補普及版〉(2020年)
青幻舎　3850円

画家ホックニーと美術評論家が「対話形式」で美術史を語る画期的な1冊。時代の特徴を追うのではなく、「この作品はどのように創り上げられていったのか」という視点で、さまざまな絵画表現を解体していきます。語られる作品は、洞窟壁画や中国絵画、写真、デジタル作品まで広範囲。「絵画」に共通する本質を探るプロセスに、読み手もワクワク感が募っていくのです。
本書では、「どのように表現されたのか」が重視されており、必然的に技法にもスポットが当たります。なぜこの技法ができあがり、このテクニックが必要だったのかということも腑に落ちる、技法書としても秀逸な1冊です。　(徳島県　山本さん)

3 美術のキホン・つくる＋みる

色彩＋西洋絵画の画材・技法

Q 275

赤・青・緑は何の三原色でしょう。

① 光　② 絵具
③ 印刷インク　④ 染料

Q 276

絵具の三原色の正しい組み合わせは、次のうちのどれですか。

① 赤・黒・黄　② 青・黒・黄
③ 赤・青・黄　④ 白・青・黄

Q 277

絵具は色光と異なり、混色するともとの色よりも鈍くなりますが、これをなんと呼ぶでしょう。

① 減算混合　② 割算混合
③ 掛算混合　④ 加算混合

Q 278

色は、色相、明度、彩度によって区別されます。赤や黄といった色みを色相、明るさの度合いを明度といいますが、彩度とはなんでしょう。

① 色の鮮やかさ　② 混色の度合い
③ 色の温度差　④ 顔料の種類

Q275 ①

光の三原色は、それぞれのアルファベット綴りの頭文字を取って「RGB」と呼ばれます。コンピュータのディスプレイ画面やテレビ・ビデオの映像に表れる色はこの3色の組み合わせから成り立っています。光の混色は色が混ざるごとに明るさを増していくことから加法混色といい、3色を同量ずつ混ぜると白色の光になります。

Q276 ③

原色とは、混色によって作ることができない色のことです。逆にこの3色（または2色）を適当な割合で混ぜ合わせることで、さまざまな色を作ることができます。色材（絵具やインク）の三原色は赤（マゼンタ）・青（シアン）・黄（イエロー）で、光の三原色は赤（レッド）・緑（グリーン）・青（ブルー）です。

Q277 ①

絵具やインクは色を混ぜるほど色が暗くなっていき、これを減算混合（減法混色）といいます。逆に、光による色は混ぜるほど明るくなり色は白に近づいていきます。

Q278 ①

彩度は色の性質を表す3つの属性の1つで、色の鮮やかさを示します。それぞれの色の中で最も彩度が高い、つまり最も鮮やかな色を純色といいます。彩度の値は純色に白や黒を混ぜていくとじょじょに低くなり、白・黒・灰色で0になります。

Q279 補色の説明として、正しいものはどれですか。

① 肌色や空色などのこと
② 暖色と寒色のこと
③ 有彩色と無彩色のこと
④ 色相環で対称の位置に置かれた反対色

Q280 色彩の中で青や緑のように遠ざかるように感じる色はなんと呼ばれますか。

① 基準色　② 後退色
③ 保護色　④ 平準色

Q281 15～16世紀のヨーロッパでは風景を描く際に、空気遠近法と色彩配置で距離感を表現していました。以下のうち、近景→中景→遠景を表す色の組み合わせはどれですか。

① 黄色→緑→白　② 青→茶色→白
③ 緑→黄色→青　④ 茶色→緑→青

Q282 水彩画では紙、油彩画ではキャンヴァスなどのように、その上に絵が描かれるものをなんと呼ぶでしょう。

① 支持体　② 基礎体
③ 土台　④ 下地

Q283 一般的に絵具は色を持つ物質である顔料と、顔料を溶いて使いやすくする溶剤で成り立っています。この溶剤をなんと呼びますか。

① 展色剤　② 助剤
③ 支持体　④ 保護剤

Q279 ④

補色関係にある2つの色を一定の割合で混ぜ合わせると、無彩色(光の場合は白、色材の場合は灰色)に近い色になります。補色を並べた配色はコントラストが強く、絵画やデザインでは、ある色の隣に補色を用いて鮮やかさを強調する効果を出すことがあります。

Q280 ②

色は見る人の奥行き感に影響を与えますが、赤や黄などの暖色は実際の距離よりも近く、飛び出して見えることから「進出色」。青や緑などの寒色は遠く、引っ込んで見えることから「後退色」といいます。それらは古くから絵画の遠近法に応用され、現代では標識などの視覚伝達デザインや空間デザインの分野で効果的に使い分けられたり組み合わせられたりしています。

Q281 ④

近景の茶色は地面、中景の緑は草木に対応します。遠景の青は空の色というだけではなく、遠くの物体が大気と光の作用によってかすんで色を失い、青みを帯びて見えるという経験的な知識を応用しています。ヤン・ファン・エイク作とされる《トリノ=ミラノ時祷書》は、こうした遠景表現の最も早い例の1つです。

Q282 ①

支持体は絵が描かれる方の素材のことで、基底材と呼ばれることもあります。油彩の場合はキャンヴァスや板、水彩の場合は紙、フレスコの場合は漆喰層が支持体として使用されます。

Q283 ①

絵具の性質は、展色剤の種類によって特徴づけられます。油絵具では乾性油、水彩絵具ではアラビアゴムの水溶液が展色剤です。このほか、蜜蝋、卵黄、アクリル樹脂などさまざまな材料が絵具の展色剤として使用されています。展色剤の多くは、顔料を画面に定着させる接着剤の役割も持っています。

Q 284 アクリル絵具の特徴としてまちがっている記述はどれですか。

① 速乾性である。 ② 水溶性である。
③ 透明にも不透明にも使える。 ④ 成分が粉っぽいので、こすれて汚れやすい。

Q 285 水彩絵具は、通常、透明水彩絵具と不透明水彩絵具に大別されますが、次のうち不透明水彩絵具に属するものはどれですか。

① パステル ② メタルポイント
③ グワッシュ ④ ウォッシュ

Q 286 パステルの説明でまちがっているものはどれですか。

① 顔料とアラビアゴムなどのメディウムを練り合わせ、スティック状に固めたもの。
② 油彩や水彩のように溶剤を用いないため、自由な混色には不向きだが、その一方で、顔料本来の色の輝きを見せる。
③ 18世紀フランスの肖像画の分野でとくに愛用された。
④ 19世紀には印象派の画家たちも使用し、マネのパステル画はとくに名高い。

Q 287 壁画を描くのに適した技法は次のうちどれですか。

① パステル ② テンペラ
③ フレスコ ④ 油彩

Q 288 右図に用いられた絵画技法はどれでしょう。

① 薄く溶いた絵具を何層にも塗り重ねることによって、透明感のある鮮やかな色彩を作り出している。
② 広い面を平滑に塗るのが難しく、細い線で面を埋めていくように描いた。
③ 絵具を厚塗りしたり削ったりと、画家が感覚的に描画することが可能になった。
④ 絵具の乾燥が速いため、1日ごとに描く範囲を区切らなければならなかった。

▶Q288

Q284 ④

アクリル絵具はアクリル樹脂を展色剤とする画材です。初めドイツで研究されていましたが、使用が一般化したのは1960年以後のアメリカで、大画面の絵画の流行を生み、のちにこれを受けてヨーロッパや日本でも使用されるようになりました。

Q285 ③

水彩絵具は色のもととなる顔料を水溶性のアラビアゴムなどの展色剤で練ったものですが、グワッシュ（またはガッシュ）はこの展色剤の比率が少なく、透明性が低いのが特徴です。イギリス発祥の透明水彩絵具よりも歴史は古く、重ね塗りによって重厚な描画ができるのが特徴です。

Q286 ④

パステルは16世紀から素描に使用されていました。18世紀のフランスで、柔らかな色彩と伸びやかな描線を活かした絵画作品が描かれるようになります。近代の画家たちも多くのパステル画を残しており、中でもドガ、ルドンが有名です。

Q287 ③

フレスコは壁に漆喰を塗り、それが乾くまでの間に水で溶いた顔料で図柄を描く技法です。下地の漆喰が硬化するとともに顔料が定着して壁面と一体化するため、堅固な画面ができあがります。しかし、作業を素早く行う必要があり、また描き直しができないことから、綿密な計画と熟練した技術が必要とされています。とくに中世からルネサンスのイタリアで、多くの教会や邸宅の壁面がフレスコ画で飾られました。

Q288 ①

①はグレージングと呼ばれる油彩技法の1つです。絵具を多めの画用油で溶き、下の色が透けるように重ねるので色が濁りません。同じ言葉が陶磁器に釉薬をかけることを表すことからも特徴がうかがえます。②は古くはテンペラ画でも見られたハッチングという視覚効果を利用した描法で、テンペラ画の彩色にも用いられました。③はペインティングナイフによる表現を指します。④はフレスコです。

画集や
美術館サイトで
作品をチェック！

▶Q288
ヤン・ファン・エイク
《アルノルフィーニ夫妻の肖像》
1434
油彩・板　82.2×60cm
ナショナル・ギャラリー、ロンドン

Q 289 下図の人物の口元のように、対象の色や輪郭をぼかして、煙か霧がかかったように描く技法のことをなんと呼びますか。

① グリザイユ　② インパスト
③ スフマート　④ グラシ

Q 290 油絵具を厚く塗ったり、盛り上げたりする技法をなんと呼びますか。

① インパスト　② グレーズ
③ スカンブリング　④ ドライブラシ

Q 291 灰色の色調だけを使う絵画技法で、硬質で落ち着きのある効果を生みだすものをなんと呼ぶでしょうか。

① スフマート　② キアロスクーロ
③ グラデーション　④ グリザイユ

Q 292 多数の平行線によって立体感や陰影を表現する技法をなんと呼びますか。

① エングレーヴィング　② ハッチング
③ マスキング　④ スカンブリング

Q 293 次の各技法のうち、下図に用いられたものはどれですか。

① デカルコマニー　② フロッタージュ
③ アナモルフォーシス　④ ドリッピング

▶Q289

▶Q293

Q289 ③

スフマートは、大気の作用でかすむ遠くの風景を描いたり、人物や物に陰影を付けたりする際に用いられます。乾燥が遅いという油絵具の特性を利用して、絵具を塗り重ねながら周囲となじませ滑らかなぼかしを作ります。また、スフマート(sfumato)は、イタリア語で「煙」を意味する「fumo」から派生した名称です。レオナルドは「煙のように、線あるいは輪郭なしで」陰影や空間を表現するために、スフマートの技法を活用しました。

Q290 ①

初期の油絵は暗い部分に薄く溶いた絵具を塗り重ねていましたが、17世紀頃にはハイライト部分に明るい色の絵具を厚く塗る手法が普及します。19世紀に粘度の高いチューブ入り絵具が登場すると、絵具を盛り上げた形自体も表現の一部とする作品が現れるようになりました。

Q291 ④

グリザイユは、単色(主に灰白色)の濃淡で陰影を描写する絵画技法です。中世末期からルネサンスには、この技法を使って大理石の彫像を描いた壁画や祭壇画の扉部分が多く見られます。トロンプ=ルイユ(だまし絵)の手段の1つとして用いられることもあります。グリザイユの例は、ジョットのスクロヴェーニ礼拝堂のフレスコ画の下段部分や、ファン・エイク兄弟の《ヘントの祭壇画》の外側などにも見られます。

Q292 ②

ハッチングは、平行線を繰り返すことによって線だけで立体感や明暗を表現することができる技法で、素描のほか、版画などでも使用されます。ハッチングどうしを交差させる技法は、クロス・ハッチングと呼ばれ、曲面の表現に適しています。

Q293 ③

アナモルフォーシスは、何が描かれているかわからないほど対象を極端に歪めたり、引き延ばしたりして描く技法です。画面を斜め横から見る、円筒形の鏡などの道具を用いるなどして初めて図柄がわかります。この変形は遠近法の応用で、厳密な計画性を必要とします。ホルバインの《大使たち》の画面上の髑髏(どくろ)が有名な例です。

画集や
美術館サイトで
作品をチェック!

▶Q289
レオナルド・ダ・ヴィンチ
《モナ・リザ》
1503-19
油彩・板　77×53cm
ルーヴル美術館、パリ

▶Q293
ハンス・ホルバイン(子)
《大使たち》
1533
油彩・板　207×209.5cm
ナショナル・ギャラリー、ロンドン

日本画の画材・技法

Q294 日本画は、紙のほかに次のどのような素材に描かれることが多いですか。

① 絹　② 綿
③ テトロン　④ 木材

Q295 通常、日本画では使用されない画材はどれですか。

① 岩絵具　② 膠（にかわ）
③ コンテ　④ 泥絵具

Q296 日本画で使う絵具には、次の何を水に溶かしたものが使われているでしょうか。

① デンプン　② 膠
③ 卵　④ ミョウバン

Q297 おもに日本画で使われる貝殻を原料とする白色の絵具はどれですか。

① 胡粉　② 代赭
③ 蘇芳　④ 辰砂

Q294 ①

絹布が紙と並んで絵を描く材料の主流になったのは平安時代からです。絵画制作に使われる平織の絹布を、絵絹または絹本といいます。画集や美術館のパネルで見られる「絹本著色」とは、絹布に絵具で彩色して描いた絵画を指します。

Q295 ③

鉱物を原料とする岩絵具や泥や土などを原料とする泥絵具は、日本絵画の伝統的な絵具です。動物の皮や骨、腱、内臓膜を原料とする膠は、絵具を溶く際に使われる日本画の画材です。コンテは鉱物を極微粒子にし、固めて作った西洋絵画の素描用画材で、白・黒・褐色（セピア）・赭色（サンギーヌ）の4色があります。

Q296 ②

日本画では、色のついた粉末（顔料）と膠を温めて溶かした水とを混ぜて絵具を作ります。西洋の絵画でも、テンペラの一種として膠が使用されています。膠は顔料を画面に定着させる接着剤の役目を持っています。

Q297 ①

胡粉は貝殻を砕きペースト状にした白色の顔料。日本画ではこのほか鉱物を原料とした群青（青色）や緑青（緑色）、黄土（黄色）、辰砂（赤色）、代赭（赤茶色）、植物を原料とした藍（青色）や蘇芳（赤色）が使われるほか、幕末期にはヨーロッパから鮮やかな青色の化学顔料プルシアンブルーが輸入され流行しました。

Q298 日本画を制作するための絵筆の中で、とくに髪の毛などの細い線を描くために使われる筆をなんと呼びますか。

① 丸筆　② 面相筆
③ 平筆　④ 隈取筆

Q299 下図の樹幹に見られるような荒々しくざらついた表現に適した筆をなんといいますか。

① 面相筆　② 隈取筆
③ 藁筆　④ 即妙筆

Q300 山や石のひだを表す東洋絵画の手法をなんと呼びますか。

① 襞法　② 皴法(しゅんぽう)
③ 岩法　④ 石法

Q301 中国や日本の絵画で、輪郭線を用いないで色の濃淡だけで形を描く技法をなんと呼ぶでしょう。

① 没輪　② 没骨
③ 片ぼかし　④ 墨流し

Q302 下図の神像の足元に描かれたような、初めに塗った墨が乾かないうちに、より多くの水分を含んだ墨を重ねることによって、意図的に色の濃淡や滲みを生じさせる技法をなんといいますか。

① たらしこみ
② 裏彩色
③ 暈
④ 皴法

▶Q299

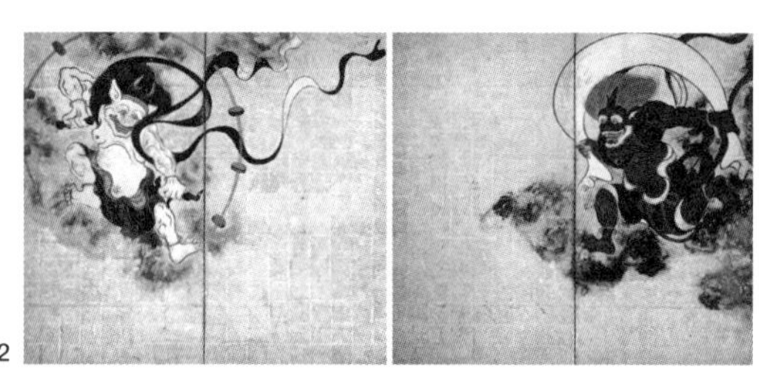
▶Q302

Q298 ②

面相筆とは人物の髪などの細い線を描いたり、肥瘦(太い細い)のない鉄線描といわれる線を引く場合に用いたりする細い筆をいいます。通常イタチやタヌキの毛を使います。

Q299 ③

藁筆とは動物の毛ではなく藁などの植物を束ねて作る筆で、樹の幹などを描くときなど、荒々しくざらついた効果をねらう際に用いられました。日本最初の絵画史のテクストである狩野永納撰『本朝画史』(1691年)の狩野永徳伝には、「永徳は水墨画を描く際に藁筆を用い、狩野派の伝統に従いながらも新意を出している」と書かれています。

Q300 ②

東洋絵画において、山や岩石のひだを描き立体感や質感を表す手法を皴法と呼びます。描く対象の性質や画家・流派の個性に従い、斧劈皴や披麻皴ほか多くの皴法が編み出されました。また、同じ皴法の中でもそれぞれの筆法に画家の個性が表れることから、これが画家を見分ける際の基準となることもあります。

Q301 ②

没骨とは輪郭線を表さずに彩色や墨の濃淡によって対象を表す東洋絵画の描写法です。早く中国・梁の張僧繇や唐の楊昇に没骨画があったとされ、五代十国以降は花鳥画の技法として多く用いられるようになりました。没骨法は日本にももたらされ、《蓮池水禽図》(京都国立博物館)をはじめとする俵屋宗達の水墨画などは、その顕著な例です。

Q302 ①

たらしこみの技法を初めて使用したのは、俵屋宗達であったといわれています。以来、この技法は尾形光琳や酒井抱一ら、琳派と呼ばれる絵師たちによって受け継がれていきました。たらしこみは、平面の中に色彩のリズムを生み出すことができるため、装飾的効果を求めた絵師にとって不可欠の技法となったのです。

画集や
美術館サイトで
作品をチェック!

▶Q299
狩野永徳
《花鳥図襖》
16世紀(室町ー桃山時代)
紙本墨画、16面のうちの3面、各175.4×142.5cm
大徳寺聚光院(京都国立博物館寄託)、京都　国宝

▶Q302
俵屋宗達
《風神雷神図屏風》
17世紀(江戸時代)
紙本金地著色、二曲一双　各154.5×169.8cm
建仁寺(京都国立博物館寄託)、京都　国宝

Q303 下のイラストのＡの部分の名称はどれでしょう。

① 扇　② 曲
③ 面　④ 幅

Q304 下図の屏風の数え方はどれですか。

① 六扇一枚　② 六面一本
③ 六曲一隻　④ 六幅一帖

Q305 下のイラストのＢの部分の名称はなんですか。

① 壁掛　② 吊額
③ 掛軸　④ 吊画

Q306 書や絵画を下図のＢのように床の間などで鑑賞できるようにすることをなんといいますか。

① 額装　② 装丁
③ 表装　④ 縁取

Q307 3つの掛軸から構成される1セットのことをなんといいますか。

① 三幅対　② 三軸対
③ 三連幅　④ 三連軸

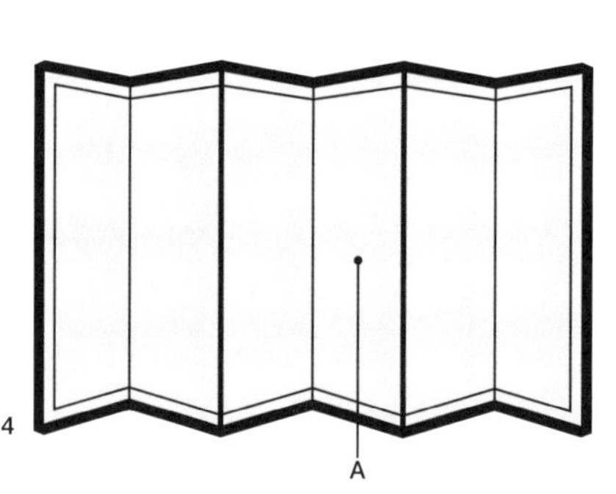

▶Q303・304

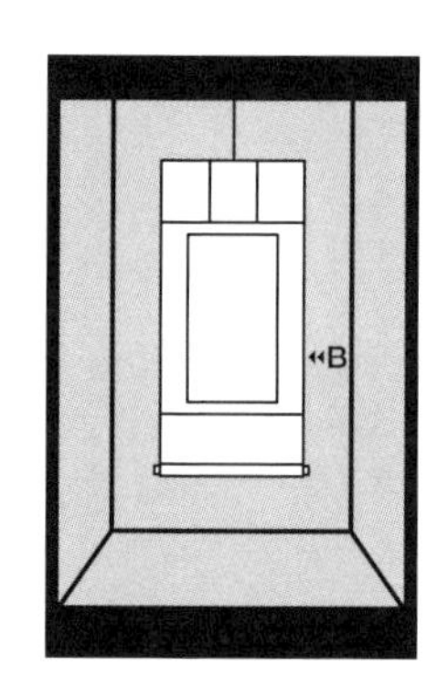

▶Q305・306

Q303 ①

屏風のパネル一枚一枚は「扇」と呼ばれます。各扇は、右から第一扇、第二扇……などと数えます。奈良から鎌倉などの古い時代の屏風は、《山水屏風》(神護寺)のように一扇一扇が独立していましたが、室町時代頃から各扇が連続した画面を取るようになりました。

Q304 ③

パネル6枚からなる屏風は、6つに折りたためるという意味で「六曲屏風」といわれます(パネル2枚なら「二曲屏風」)。この六曲屏風が左右2枚で1セットになったものを「六曲一双」、1枚だけのものを「六曲一隻」といいます。一双屏風のうち、こちらから見て向かって右にあるものを「右隻」、向かって左にあるものを「左隻」といいます。

Q305 ③

掛軸は絵や書を掛けて鑑賞できるようにしたもので、中国・唐時代に始まり、日本にも奈良時代頃に伝わりました。古代には、寺院で法事の際に礼拝用に仏画を掛けるという使い方が主でしたが、鎌倉時代に禅宗文化の影響で掛軸流行の兆しが見え、室町時代に入るとイベントや会合の際に座敷飾りとして住宅でも使われるようになりました。掛軸は一幅、二幅……と数えます。

Q306 ③

紙や絹にかかれた絵や書を掛軸や絵巻、屏風などに仕立てることを表装といいます。表装する際には、貴重で高価な布地が用いられることも多くありました。絵や書が掛軸として表装された場合は、絵や書の部分を本紙と呼びます。

Q307 ①

三幅対は、中幅と左幅、右幅から成り、それぞれは中幅を中心に有機的な連関を持ちます。例えば、中幅に仏画の本尊などが描かれ左右幅に副次的な花鳥や山水が添えられたり、中幅に中心人物が描かれ左右に副次的人物が添えられたりとバリエーションはさまざまです。また、松竹梅、雪月花で三幅を構成することもあります。牧谿の《観音猿鶴図》はその著名な例です。掛軸にはほかに、左幅、右幅からなる対幅や四幅対などもあります。

合格者オススメのアートの本！

活用問題の対策にも役立ちそうな本があれば教えてほしいのですが……

『いちばんやさしい美術鑑賞』が私のイチオシです！

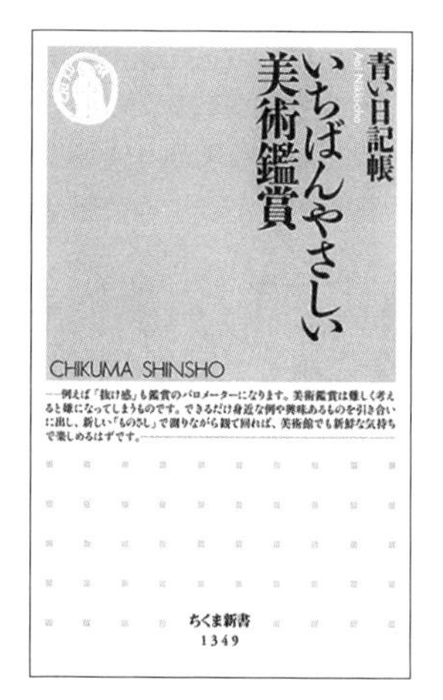

鑑賞と美術史の視点がリミックス！

青い日記帳 著
『いちばんやさしい美術鑑賞』(2018年)
筑摩書房(ちくま新書)　880円

本書は著者自らが書くように、多くの人が抱える「展覧会で絵をどのようにみたらいいのか?」問題の小さな手助けとなることを目指した本。美術鑑賞入門の大変よい手引書です。
本書では西洋美術7作品と日本美術8作品を、時代に従って紹介。美術の歴史をたどる構成で、美術史の全体像をつかむのにも役立つ工夫がされています。美術史学習という視点で必読したいのは第4章です。〔なぜセザンヌは「近代絵画の父」なのか?〕をテーマに、その作品が近代西洋美術史において歴史的な大転換の起点となったことが簡潔に紹介されています。
美術史学習の補完的な1冊としてもぜひ！　(埼玉県　岡野さん)

4 知識・情報の活用問題

「美術検定」では、美術の知識や情報を記憶する
問題とは方向性が異なる設問が出題されます。
ここでは学んできた知識や情報と、
作品を観察・鑑賞して得られた情報を活用して判断し、
思考する能力を問います。

活用問題 1

鈴木さんはある展覧会でいくつかの作品を鑑賞して、[作品ア]についてメモをとりました。また、ある作品についての[解説文]を見つけました。これらの資料を参照し、続く設問に解答してください。

ア

イ

[鈴木さんのメモ]

〈形〉

I　短い筆触の跡がはっきりとわかる

II　三角形や四角形を組み合わせている

〈色〉

a　鮮やかな色彩で、補色を組み合わせている

b　明度、彩度の高い色と低い色を組み合わせている

〈イメージ〉

A　自然の風景が構成的に組み立てられている

B　水面に反射する光が動きをともなって感じられる

[解説文]

自然を観察し、冷静な画面づくりが行われている。また、自然を単純な形態に還元し、筆の重なりによって微妙な遠近感を感じさせる。これまでの絵画の遠近法や明暗法ではない、新しい空間の表現方法をとっている。

(『改訂版 西洋・日本美術史の基本』より再構成)

Q 308

鈴木さんのメモとして最も ふさわしい組み合わせは、以下のうちのどれですか。

① I ― a ― A
② II ― b ― B
③ I ― b ― B
④ II ― b ― A

Q 309

鈴木さんが見つけた［解説文］に該当する作品は、アとイのどちらですか。

① ア
② イ

活用問題 2

ある美術館が、作品から短文を作るワークショップを行いました。参加者が作った短文のうち、「視覚や触覚、聴覚などの感覚を総動員しながら、作品から受けた感情を短い文章にまとめているので、総合的に作品をみていることがわかります」という評価を受けた文章がありました。以下の資料を参照し、続く設問に解答してください。

A

B

C

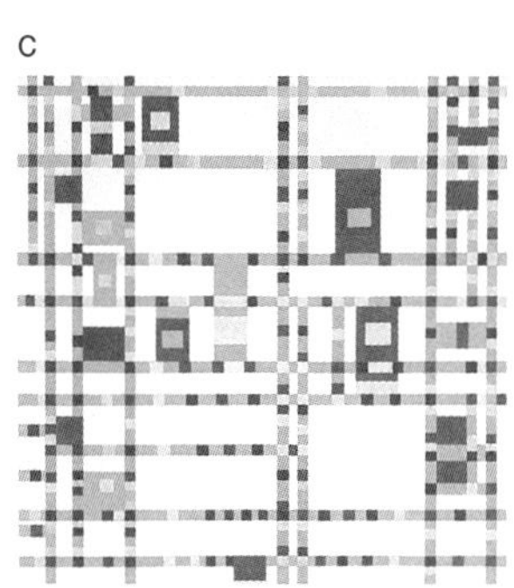

[参加者たちの文章]

ア 「老いをきざむ我が身、荒い息づかいをしながら獲物を逃した手を握りしめ、こみあげてくる悔しさに耐える」

イ 「土埃の匂いの上を、素早くガサガサと、あらゆる方向に動き出す生物、むき出しの皮膚に突き刺さる光と影、ほろ苦さがこみ上げてくる眺めだ」

ウ 「整然とした街並みと林立する高層ビル、行き交う車、賑わう人々の声、マンハッタンの喧騒が音と色をつくり出す」

Q 310 問題に挙げられた評価に最も適切だと思われる、作品と短文の組み合わせはどれでしょう。

① A ― ア　② B ― イ　③ C ― イ
④ A ― イ　⑤ B ― ウ　⑥ C ― ア

活用問題 3

山田さんは美術検定の受験勉強のため、琳派について調べました。以下の作品と［『伊勢物語』の場面解説ア～ウ］を参考に、続く設問に解答してください。

尾形光琳《燕子花図屛風》18世紀

［『伊勢物語』の場面解説より］

ア　元服したばかりの在原業平が、奈良の春日で美しい姉妹に出会い、思わず恋の歌を詠んで送った場面。

イ　友人らとともに東下り中の在原業平が、橋にかかる川のほとりで、京に残した妻を思い歌を詠む場面。

ウ　自分の死期を悟った在原業平が、臨終の歌を詠む場面。

Q311　作品は［場面解説ア～ウ］のうち、どの場面に取材したものですか。

① ア
② イ
③ ウ

Q312　山田さんが調べた結果、琳派の特徴が《燕子花図屛風》にもあると気づきました。その特徴として最もふさわしいものはどれですか。

① 金地の背景に、自然な風情で描かれた色違いの花木と意匠化された水流を組み合わせ、斬新な構成による屛風絵であること。
② 湿潤な気候を背景の「余白」で示し、モチーフの描き方との相乗効果で人の感情を揺さぶる絵画作品であること。
③ 古典の物語を主題としながら、季節の花葉をパターン化したモチーフとして鮮やかな色彩対比で大胆に構成し、屛風絵に斬新なデザイン効果を加えたこと。

活用問題 4

田中さんと鈴木さんは、「風景の継承と革新」という風景画展を訪れ、ある展示室で2点の作品を鑑賞しながら会話をしています。2人の会話と作品、展示解説を参照し、続く設問に解答してください。

A

クロード・ロラン《シバの女王の乗船》1648年

B

ポール・セザンヌ《サント＝ヴィクトワール山》1887年頃

［2人の会話］

鈴木　Aは聖書をもとに描かれた風景、Bは実際の風景を描いているんだって。

田中　へぇ。僕、Aはどうしても（ア）に目が行っちゃうよ。

鈴木　一点透視図法を使っているせいだろうね。

田中　うん。Bの方は北斎の作品に似ていない？

鈴木　どのあたりが北斎っぽいの？

田中　（　　　　　イ　　　　　）。

［展示解説］

キリスト教が西欧社会に浸透した中世以来、絵画に風景が描かれるようになります。それは、擬人化された神々や人間が紡ぐ物語の舞台装置としての背景でした。この伝統はフランスの美術アカデミーにも受け継がれます。19世紀に入り、バルビゾン派やクールベらは身近な自然に目を向けました。その後、モネは自然の光をいかに表現するかを追求し続け、セザンヌは自然の構造を色彩で表現することに挑戦します。こうして風景は絵画の1つのジャンルとなっていったのです。

Q 313 空欄（ア）に入る文章として、最も適切なものを選んでください。

① 物語の主題である人物
② 写実的に描かれた水面
③ 情緒的でメランコリックな雰囲気
④ 画面中央の太陽

Q 314 下線部の発言は、右の作品を思い浮かべたものでした。（イ）に入る文章として最もふさわしいものはどれですか。

① 高台から俯瞰的に見た風景と遠景に山を眺める組み合わせだから。
② 松の枝と葉の色が空に溶け込んでいて、畑の緑色とも同じ色調だから。
③ 手前に木があって、人々の生活が細かく描かれているから。

Q 315 この展示室のテーマとして、最も妥当なものはどれですか。

① 古典の継承（第1展示室）
② 絵画メディアの変遷（第2展示室）
③ 自然表現の模索（第3展示室）
④ 風景画の革新（第4展示室）

活用問題 5

中村さんと小林さんは高校の美術の授業で、「中国絵画の日本絵画への影響」というテーマで学習しました。以下は授業で使用した2点の作品と2人の意見、それを受けた先生がクラスで行った話です。これらの資料をもとに、続く設問に解答してください。

ア

牧谿《観音猿鶴図》
13世紀　南宋
大徳寺蔵

イ

絵師A　《竹鶴図屏風》
(左隻)16世紀
出光美術館蔵

［生徒の意見と先生の話］

中村　日本の画家は、中国の絵に登場するキャラクターを自分たちの作品に採り入れたのだと思うのだけど。

小林　うん。木や地面、背景の描き方は、中国の絵をヒントにしているような感じがする。

中村　そうだね。構図が縦長から横長になっているのは、中国絵画を参考にしながら、日本の屏風の形式に合うようアレンジしたのかも。

先生　よく気づいたね。当時の日本の絵師たちは、中国から輸入された作品を手本に、模写をして絵の練習をしたそうだ。ただし、今のように写真がないから、多くの絵師は模写を手本にすることが一般的だったようだけどね。

その中で、絵師Aは、幸運にも牧谿の絵（作品ア）を直接みる機会があったらしい。だから《竹鶴図屏風》（作品イ）の鶴のように本物そっくりに描くことができた、と伝えられているんだよ。
この絵師は桃山時代に活躍した人だけど、ほかにも鶴や猿が登場するよく似た作品が何枚も残っている。模写にとどまらず、構図を変えたり、描く事物を減らして余白の効果を考えたりと、さまざまな試行錯誤を重ねたんだね。その結果、独自の表現までたどり着いたといわれているんだ。
とくに水墨画は、墨の濃淡の使い方や樹木の描き方から、《　ウ　》がその代表作といわれているよ。

Q316 先生が話の中で用いた作品《　ウ　》として最もふさわしいものはどれですか。

①

伝狩野正信《竹石白鶴図屏風》
大徳寺真珠庵蔵　重文

②

円山応挙《雪松図屏風》（右隻）
三井記念美術館蔵　国宝

③

長谷川等伯《松林図屏風》（右隻）
東京国立博物館　国宝

④

狩野山楽《龍虎図屏風》（左隻）
妙心寺蔵　重文

Q317 生徒の意見の根拠として、最も妥当な内容は以下のうちのどれですか。

① 2図の鶴のポーズや描き方、その足元の落ち葉の描き方はほとんど同じに見える。だが、作品アは縦長で3枚とも違うモチーフが描かれているのに、作品イは1つのモチーフだけ横長の絵として描いている。これにより、イは広大な空間を1つの画面上に生み出していると思われたから。

② 作品アの観音図では、近くのものを大きく、遠くの景色は小さく描いて遠近感を表現したように見える。だが、作品イでは、西洋の線遠近法を使って風景の奥行きを正確に描いていると思うから。

③ 2図の鶴は同じように見え、作品イはアの真似をしたと思う。だが、アの鶴の絵に描かれた植物は、デフォルメされているように見える。アとイの落ち葉の形が似ていることから竹と推測した。作品イの竹はリアルに見えるため、写生をもとに描いたと思ったから。

正解

Q308 ④	Q309 ①	Q310 ④	Q311 ②	Q312 ③
Q313 ④	Q314 ①	Q315 ③	Q316 ③	Q317 ①

知識・情報の活用問題とはなんでしょう？

単に知識の量や正確さで勝負する問題ではありません。誤答探しで解ける問題、正確に記憶していないと解けない問題でもありません。
問題には、複数の文章や画像と選択肢が提示されています。
解答者はまず、「問い」をつかむことが大切です。次に、

・文章と画像を結びつける
・資料から情報を取り出す
・自分の持つ情報や知識（概念）を活用する
・選択肢同士を比較・検討する

などを行いながら、知識や情報を論理的に組み立て、最も適切と思われる選択肢を選びます。ときには選択肢がすべて正しい場合もあります。資料同士の関係性が複雑な場合もあります。その多様な状況の中で思考・判断する力が、知識・情報の活用問題では求められます。それは、美術館のギャラリーガイドやイベントの進行で必要な力です。また、探索的で、探求的な美術鑑賞を行うのにも役立つでしょう。

活用問題1

比較鑑賞により、それぞれの作品の視覚的な特徴を取り出し、それらを言語化した文章と結びつけて正答を導く問題です。Q308では、絵画の基本的な特徴であり、鑑賞ポイントにもなる「形、色、イメージ」の情報を取り出します。また、ここで求められているのは作品を「カラー」でみた経験です。美術検定では、美術の知識を覚えるだけでなく、作品を鑑賞し、そこから学ぶことも推奨しています。学習の際は、美術館で作品をみることはもちろん、関連書籍に掲載されている作品は大型の作品集などでカラー図版を細部まで観察して鑑賞することも大切です。また、Q309は、Q308で取り出した作品の特徴を、知識と重ね合わせて正答を導くことが求められています。

活用問題2

ここで問われているのは、正確な作品や美術の知識ではありません。3作品の「五感」でとらえられる特徴を情報として取り出し、3つの短文と比較することから正答を導く問題です。作品を鑑賞する際には、知識はひとまず置いておき、視覚的な特徴や作品から感じられる音や香り、温度などをイメージして、作品を自分なりに解釈することも大切です。そういった解釈に知識を合わせることが、深い鑑賞につながります。

活用問題3

作品の特徴を取り出し、美術史や技法の基本的な知識と比較して正答を導く問題です。ここでは、尾形光琳の代表作を採り上げています。光琳の作品は古典文学を題材にしたものが多く、とくに《燕子花図屏風》は『伊勢物語』の1シーンを取材したことがよく知られています。屏風には燕子花が群生するさましか描かれていませんが、当時の人たちは、八橋という京都から離れた地で、橋がかかる川のほとりに佇んで歌を詠む在原業平もイメージしながら作品を楽しんだのです。このような日本美術の表現を「留守文様」と呼びます。Q311ではこのような基本的な知識と作品を結びつけることが求められています。活用問題は複数の問題で構成されるので、このように知識問題が組み込まれることもあります。また、Q312は、注意深く文章を読むと、作品の特徴を取り出すことで正答が可能な設問です。

活用問題4

比較鑑賞によって作品から必要な情報を取り出し、最終的に知識も活用して正答を導く問題です。Q313、314で求められているのは、注意深く作品の部分と全体をみる観察力と、異なる作品に共通点を発見できる鑑賞力を活用して正答を導くことです。Q315では、解説文にある情報と、掲載された作品がもつ美術史上の位置づけも重ね合わせて判断することが求められています。3問いずれも、与えられた情報から、選択肢を絞ることも可能です。

活用問題5

必要な美術史の知識と作品の特徴を取り出して、正答を導く問題です。ここでは、文章を読みながら比較鑑賞して作品の特徴を取り出すこと、そこに美術史の知識も重ね合わせていくことが求められています。Q316は作品が初見であっても、基本的な美術史の知識を用いて、資料の作品と文章を手がかりに正答を導き出すことができます。Q317は、資料の2作品を注意深く比較鑑賞することで、正答を導き出せる設問です。

作品をチェック!

[p.154]

ア
ポール・セザンヌ《サント＝ヴィクトワール山》
1887年頃
油彩・キャンヴァス　67×92cm
コートールド・インスティテュート・ギャラリー、ロンドン

イ
クロード・モネ《睡蓮と日本橋》
1899
油彩・キャンヴァス　90.5×89.7cm
プリンストン大学美術館

[p.156]

A
ジャクソン・ポロック《ナンバー1A》
1948
油彩・エナメル・キャンヴァス　172.7×264.2cm
ニューヨーク近代美術館

B
高村光雲《老猿》
1893
木造、高さ108.5cm
東京国立博物館　重文

C
ピエト・モンドリアン《ブロードウェイ・ブギウギ》
1942－43
油彩・キャンヴァス　127×127cm
ニューヨーク近代美術館

[p.157]
尾形光琳《燕子花図屏風》
18世紀(江戸時代)
紙本金地著色、六曲一双　各151.2×358.8cm
根津美術館、東京　国宝

[p.158-159]

A
クロード・ロラン《シバの女王の乗船》
1648
油彩・キャンヴァス　149.1×196.7cm
ナショナル・ギャラリー、ロンドン

B
ポール・セザンヌ《サント＝ヴィクトワール山》
既出

葛飾北斎《冨嶽三十六景 駿州片倉茶園ノ不二》
1831－34
横大判錦絵　25.2×37.1cm
山口県立萩美術館・浦上記念館

［p.160-161］
ア
牧谿《観音猿鶴図》
13世紀（南宋）
絹本墨画淡彩、三幅対
観音図172.2×98.8cm、猿図173.9×98.8cm、鶴図173.9×98.8cm
大徳寺、京都　国宝

イ
長谷川等伯《竹鶴図屏風》（左隻）
16世紀（桃山時代）
紙本墨画、六曲一双　各156.3×362.3cm
出光美術館

①
伝狩野正信《竹石白鶴図屏風》
15世紀後半（室町時代）
紙本墨画、六曲一双、156.5×356cm
大徳寺（真珠庵）、京都　重文

②
円山応挙《雪松図屏風》（右隻）
18世紀（江戸時代）
紙本墨画淡彩金泥砂子、六曲一双　各155.7×361.2cm
三井記念美術館、東京　国宝

③
長谷川等伯《松林図屏風》（右隻）
16世紀（桃山時代）
紙本墨画、六曲一双　各156.8×356cm
東京国立博物館　国宝

④
狩野山楽《龍虎図屏風》（左隻）
17世紀初期（桃山－江戸時代）
紙本金地著色、六曲一双　各178×360cm
妙心寺、京都　重文

執筆者紹介

本書に掲載した問題のセレクション、ならびに問題の解説執筆、想定問題の作成と解説執筆は以下の担当者が行いました(担当ページ掲載順)。

1970年代までの西洋美術史/原始・古代〜バロック・ロココ
荒木和(女子美術大学 特命助教、女子美術大学美術館 学芸員)

1970年代までの西洋美術史/近代〜1970年代
齊藤佳代(エデュケーター、東京国立近代美術館 特定研究員)
野田由美意(美術史家、北見工業大学教授)

1970年代までの日本美術史/先史・古墳〜江戸
松島仁(日本美術史家、静岡県富士山世界遺産センター教授)

1970年代までの日本美術史/明治時代〜1945年
荒木和

1970年代までの日本美術史/1945年〜1970年代
暮沢剛巳(美術評論家、東京工科大学デザイン学部教授)
小金沢智(キュレーター、東北芸術工科大学芸術学部美術科日本画コース専任講師、武蔵野美術大学造形学部日本画学科非常勤講師)

美術のキホン・つくる+みる
荒木和
松島仁

知識・情報の活用問題
奥村高明(美術教育研究者、博士(芸術学))
佐藤晃子(美術ライター)

知る、わかる、みえる

美術検定®

3級問題 基本編 basic

発行日	2021年6月30日　第1刷 2024年5月20日　第3刷
編者	一般社団法人美術検定協会「美術検定」実行委員会
監修	半田滋男、池上英洋、奥村高明、暮沢剛巳、橋 秀文
企画構成・編集・執筆	染谷ヒロコ（atopicsite）
執筆	荒木和、野田由美意、齊藤佳代、松島仁、暮沢剛巳、 小金沢智、奥村高明、佐藤晃子
編集補佐	坂本裕子
制作進行	高橋紀子
ブックデザイン	川添英昭
発行人	山下和樹
発行	カルチュア・コンビニエンス・クラブ株式会社 美術出版社書籍編集部
発売	株式会社美術出版社 〒141-8203 東京都品川区上大崎3-1-1 目黒セントラルスクエア5F 電話：03-6809-0318（代表）
印刷・製本	シナノプラス株式会社

https://bijutsu.press

ISBN／978-4-568-24085-6 C0070